CARMEN BECK | BARBARA DUCKS1
VALESKA HAGNER | ANDREA HAWE
WIEBKE HEUER | MICHAELA LUYKEN
ANJA SCHÜMANN

Deutsch als Fremdsprache

Zwischendurch mal ...

Spiele

Niveau A1 – B1

Kopiervorlagen

Hueber Verlag

QUELLENVERZEICHNIS

Cover: © Büro Sieveking, München
Seite 30: © fotolia/Benicce
Seite 32: © iStock/kate_sept2004
Seite 44: CD © fotolia/maximma
Seite 47/48: Pferd © Thinkstock/iStock/Kseniya Abramova; Schnecke © Thinkstock/Zoonar
Seite 51: Kette © iStockphoto/SoopySue; Jeans © PantherMedia; Uhr © fotolia/Alexander Maksimenko
Seite 52: Pullover © iStockphoto/Pakhnushchyy; Kleid © fotolia/alx; Handy © fotolia/Dieter Hahn
Seite 54: 1. Reihe von links: © iStockphoto/Pakhnushchyy, © fotolia/Piccolo, © PantherMedia, © iStockphoto/Jitalia17; 2. Reihe von links: © iStockphoto/Ivan Gulei, © Thinkstock/Hemera, Hose und T-Shirt © iStock/cookelma; 3. Reihe von links: © fotolia/BEAUTYofLIFE, © iStockphoto/Antagain, © iStockphoto/jonpic, © fotolia/Alexander Maksimenko; 4. Reihe von links: © iStockphoto/SoopySue, © fotolia/Alx, © iStock/futureimage, © fotolia/Dieter Hahn
Seite 59: Fußball © iStock/sumnersgraphicsinc, Basketball © Thinkstock/iStock/Feng Yu
Seite 60: 1. Reihe von links: © fotolia/M. Jenkins, © fotolia/Martina Chmielewski, © iStock/wsfurlan, © fotolia/Dieter Hahn, © fotolia/aldorado; © fotolia/Andreas Haertle; 2. Reihe von links: © fotolia/soleg, © fotolia/Julián Rovagnati, © Hueber Verlag (2x), © iStock/Suljo, © iStock/jonpic; 3. Reihe von links: © iStock, © iStock/cookelma, © iStockphoto/NIELSEN73 (rot), © fotolia/Daniel Burch (orange), © Thinkstock/iStockphoto; 4. Reihe von links: © iStock/sumnersgraphicsinc, © Thinkstock/iStock/Feng Yu, © iStock/cookelma (2x), © fotolia/James Steidl, © fotolia/Pavel Losevsky
Seite 61: 1. Reihe von links: © fotolia/Andreas Haertle, © fotolia/Dieter Hahn, © Hueber Verlag; 2. Reihe von links: © fotolia/jonpic, © iStock/cookelma (2x); 3. Reihe von links: © fotolia/soleg, © fotolia/Daniel Burch, © fotolia/Martina Chmielewski; 4. Reihe von links: © iStock/sumnersgraphicsinc, © Thinkstock/iStockphoto, © fotolia/James Steidl
Seite 71: © iStock/GlobalP
Seite 78: © Thinkstock/iStockphoto
Seite 79: © iStockphoto/Jitalia17
Seite 80: © iStockphoto/lepas2004
Seite 81: © iStock/terex
Seite 82: © iStockphoto
Seite 83: © iStockphoto/ypnyk2
Seite 87: © iStockphoto/hocus-focus
Seite 88: © iStockphoto/hocus-focus
Seite 119/20: Hängematte © fotolia/Mosquidoo; Fahrradpanne © fotolia/stef; Reiterin © iStock/horsemen

Zeichnungen Seite 41 bis 45, 115, 116, 118: Beate Fahrnländer, Lörrach; Lutz Kasper, Köln; Jörg Saupe, Düsseldorf

Kopiervorlagen

5.	4.	3.		Die letzten Ziffern
2018	17	16	15	14	bezeichnen Zahl und Jahr des Druckes.

Alle Drucke dieser Auflage können, da unverändert,
nebeneinander benutzt werden.
1. Auflage
© 2012 Hueber Verlag GmbH & Co. KG, 85737 Ismaning, Deutschland
Verlagsredaktion: Valeska Hagner und Thomas Stark, Hueber Verlag, Ismaning
Umschlaggestaltung: Sieveking · Agentur für Kommunikation, München
Layout & Satz: Sieveking · Agentur für Kommunikation, München
Druck und Bindung: Himmer AG, Augsburg
Printed in Germany
ISBN 978-3-19-341002-3

INHALT

Verben

Präpositionen

Sätze und Satzverbindungen

* einfach   ** mittel   *** schwierig

Die Abkürzung TN bedeutet „Teilnehmer" bzw. „Teilnehmerin".

TIPP

Laminiert oder mit Transparentfolie beklebt, können die Kärtchen mehrmals verwendet werden.

Ein Bingo-Spiel mit Zahlen bis zwanzig

Vorbereitung

Kopieren und verteilen Sie die leeren Bingofelder. 2 TN bekommen zusammen ein Bingofeld zum Ausfüllen.
Kopieren Sie die Zahlen-Kärtchen, schneiden Sie sie aus und legen Sie sie in eine Schachtel.

Ablauf

Teilen Sie Ihre Klasse in Zweiergruppen. Jedes Paar bekommt ein leeres Bingofeld und trägt Zahlen von 1 bis 20 ein. Jede Zahl darf nur einmal aufgeschrieben werden.

Wählen Sie einen TN als Spielleiter und geben Sie ihm die Schachtel mit den Zahlen-Kärtchen. Der TN zieht nacheinander Kärtchen und liest die Zahlen vor. Die anderen TN streichen die genannten Zahlen aus. Ziel ist, horizontal, vertikal oder diagonal eine Reihe mit vier durchgestrichenen Zahlen zu bekommen:

horizontal   *vertikal*   *diagonal*

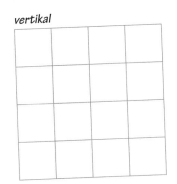
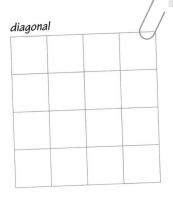

Das TN-Paar, das zuerst eine Reihe mit durchgestrichenen Zahlen hat, ruft „Bingo" und hat gewonnen.

KOPIERVORLAGE

BINGOFELD

ZAHLEN-KÄRTCHEN

1	2	3	4	5
6	7	8	9	10
11	12	13	14	15
16	17	18	19	20

Ein Spiel mit Zahlen bis 100

Vorbereitung

Kopieren Sie die Kopiervorlage und schneiden Sie die 20 Kärtchen aus. Bei mehr als 20 TN können Sie auf den leeren Kärtchen Rechnungen ergänzen.

Ablauf

Verteilen Sie alle Kärtchen in der Klasse, sodass jeder TN ein bis zwei Kärtchen hat. Die Kärtchen sollten verdeckt gehalten werden. Ein TN beginnt und liest seine Rechenaufgabe vor, z.B. „Sieben-undzwanzig plus elf ist?" Nur der TN mit dem Kärtchen, dessen erste Zahl das Ergebnis, also 38 ist, antwortet: „Achtunddreißig." und fährt fort: „Achtunddreißig minus achtzehn ist …?" Das Spiel ist zu Ende, wenn alle Rechenaufgaben gelöst sind.

$$27 + 11 =$$

$$38 - 18 =$$

Variante

Sie können die TN auch im Wettbewerb frei rechnen lassen. Dazu benötigen Sie einen kleinen Ball. Teilen Sie die Klasse in zwei Gruppen, die einander gegenübersitzen. Ein TN aus der Gruppe A formuliert eine Rechenaufgabe und wirft den Ball einem TN aus der Gruppe B zu. Der TN der Gruppe B muss die Aufgabe **ohne Hilfe** der Gruppe innerhalb einer vorge-gebenen Zeit (zählen Sie z.B. leise bis 10) lösen. Dann bekommt die Gruppe einen Punkt. Bekommt er Hilfe oder schafft er es nicht in der vorgegebenen Zeit, gibt es keinen Punkt für die Gruppe. Wenn er das richtige Ergebnis gefunden hat, stellt er eine neue Aufgabe und wirft den Ball einem TN der Gruppe A zu. Das Spiel ist zu Ende, wenn jeder TN einmal gerechnet hat. Die Gruppe mit den meisten Punkten hat gewonnen.

$27 + 11 =$

$38 - 18 =$

$20 + 57 =$

$77 + 10 =$

$87 - 50 =$

$37 + 26 =$

$63 + 27 =$

$90 - 12 =$

$78 + 3 =$

$81 - 46 =$

$35 + 17 =$

$52 - 11 =$

$41 - 18 =$

$23 - 7 =$

$16 + 35 =$

$51 - 32 =$

$19 + 68 =$

$87 - 51 =$

$36 - 18 =$

$18 + 9 =$

Ein Spiel zu Aussprache und Hörverstehen der Jahreszahlen

Vorbereitung

Kopieren Sie die Kopiervorlagen für jede Gruppe ein Mal und kleben Sie die Kopien auf verschiedenfarbige dünne Pappe (eine Farbe für die Jahreszahlen in Ziffern und eine andere Farbe für die Zahlwörter). Schneiden Sie dann die Kärtchen aus und stecken Sie diese in Briefumschläge, jeweils getrennt nach Ziffern und Zahlwörtern.

Ablauf

Bilden Sie Gruppen von 6 bis 10 TN. Jede Gruppe bekommt zwei Briefumschläge (in einem sind Ziffernkärtchen, im anderen Kärtchen mit Zahlwörtern) und bestimmt einen Spielleiter. Die Kärtchen werden nach Ziffern und Zahlwörtern getrennt gemischt. Dann werden zwei Stapel gebildet: ein Stapel mit den Jahreszahlen in Ziffern, der zweite mit den Zahlwörtern. Der Spielleiter nimmt den Stapel mit den Jahreszahlen in Worten. Die anderen TN erhalten je zwei Kärtchen vom Ziffernstapel, die sie aufgedeckt vor sich hinlegen. Der Spielleiter deckt in raschem Tempo immer das oberste Kärtchen auf und liest die Jahreszahl vor. Entdeckt ein TN bei seinen beiden aufgedeckten Kärtchen das passende Kärtchen, wiederholt er laut die Jahreszahl. Er darf dann das Kärtchenpaar zur Seite legen und erhält ein neues Kärtchen vom Ziffernstapel. Meldet sich niemand rechtzeitig, deckt der Spielleiter das nächste Kärtchen auf und liest die Zahl vor. Ist der Stapel des Spielleiters heruntergespielt, werden die übrigen Ziffernkärtchen neu gemischt und das Aufdecken beginnt von vorne. Sieger ist der TN, der am Ende die meisten Kärtchenpaare gesammelt hat. Wichtig ist hierbei, dass das Spieltempo rasch ist, damit das Spiel nicht zu einfach wird.

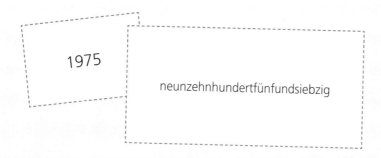

Variante

Der Spielleiter bekommt den Stapel mit Ziffernkärtchen und die anderen TN die ausgeschriebenen Zahlen. Der Spielleiter deckt nun langsam das jeweils oberste Kärtchen seines Stapels auf und legt es für alle sichtbar auf den Tisch, ohne die Zahl zu nennen. Hat ein TN das passende Kärtchen, liest er sie laut vor und bekommt das Kärtchenpaar. Bei dieser Variante sollten die Gruppen nicht mehr als 6 TN haben, damit alle TN die Ziffern lesen können.

KOPIERVORLAGE 1

1975	622	2008	2009
1999	1995	2003	1989
1735	1789	1862	1213
1472	1934	753	1620
1805	1756	1684	1511
1407	1396	1274	1118
1086	953	817	724
632	518	476	312

264	115	86	2001
1930	2010	1892	1912
1723	300	1971	2004
1580	1968	1772	1492
1945	1923		

neunzehnhundertfünfundsiebzig	sechshundertzweiundzwanzig
zweitausendneun	neunzehnhundertneunundneunzig
zweitausendacht	neunzehnhundertfünfundneunzig
zweitausenddrei	neunzehnhundertneunundachtzig
siebzehnhundertfünfunddreißig	siebzehnhundertneunundachtzig

achtzehnhundertzweiundsechzig

zwölfhundertdreizehn

vierzehnhundertzweiundsiebzig

neunzehnhundertvierunddreißig

siebenhundertdreiundfünfzig

sechzehnhundertzwanzig

achtzehnhundertfünf

siebzehnhundertsechsundfünfzig

sechzehnhundertvierundachtzig

fünfzehnhundertelf

vierzehnhundertsieben

dreizehnhundertsechsundneunzig

zwölfhundertvierundsiebzig

elfhundertachtzehn

tausendsechsundachtzig

neunhundertdreiundfünfzig

achthundertsiebzehn

siebenhundertvierundzwanzig

sechshundertzweiunddreißig

fünfhundertachtzehn

vierhundertsechsundsiebzig	dreihundertzwölf
zweihundertvierundsechzig	einhundertfünfzehn
sechsundachtzig	zweitausendeins
neunzehnhundertdreißig	zweitausendzehn
achtzehnhundertzweiundneunzig	neunzehnhundertzwölf

siebzehnhundertdreiundzwanzig

dreihundert

neunzehnhunderteinundsiebzig

zweitausendvier

fünfzehnhundertachtzig

neunzehnhundertachtundsechzig

siebzehnhundertzweiundsiebzig

vierzehnhundertzweiundneunzig

neunzehnhundertfünfundvierzig

neunzehnhundertdreiundzwanzig

Ein Wechselspiel zu den Uhrzeiten

Vorbereitung

Kopieren Sie Kopiervorlage 1, sodass Sie für jeden TN eine Kopie haben. Verteilen Sie die Kopien in der Klasse. Zu Hause basteln sich die TN Uhren, indem sie die Kopie auf einen festen Karton kleben, das Zifferblatt und die Zeiger ausschneiden und sowohl in das Zifferblatt als auch in die beiden Zeiger ein Loch machen. Mit einer Briefklammer befestigen sie die Zeiger.

Kopieren Sie Kopiervorlage 2 und zerschneiden Sie sie der Länge nach (je 1 Streifen für TN A und TN B).

Ablauf

Bilden Sie Paare. Jedes Paar muss mindestens eine Uhr haben. Ein TN bekommt Blatt A, der andere Blatt B. TN A liest die Uhrzeit auf seinem Blatt vor, TN B stellt „seine" Uhr. Dann liest TN B die Uhrzeit vor und TN A stellt „seine" Uhr. Die TN korrigieren sich mithilfe der Skizzen zu den jeweiligen Uhrzeiten.

Variante

Ein Spiel im Plenum
Bevor Sie das Spiel oben spielen, können Sie die Uhrzeiten noch einmal im Plenum trainieren.

Vorbereitung
Siehe Anleitung oben.

Ablauf
Stellen Sie Ihre Uhr auf eine bestimmte Zeit. Fragen Sie einen TN: „Wie spät ist es?". Der TN antwortet und ändert nun die Uhrzeit. Er fragt einen TN nach der Uhrzeit. Dieser antwortet, stellt die Uhr und fragt einen anderen TN.
Das Spiel ist zu Ende, wenn alle TN einmal geantwortet und die Uhr gestellt haben.

Es ist zwanzig vor fünf.

© Hueber Verlag 2012, Zwischendurch mal ... Spiele

A

Es ist halb fünf.

Es ist Viertel nach acht.

Es ist zehn nach eins.

Es ist fünf vor halb sechs.

Es ist zwölf.

Es ist Viertel vor vier.

Es ist zwanzig nach drei.

Es ist fünf nach halb zehn.

Es ist fünf vor zwei.

Es ist zehn vor elf.

Es ist fünf nach sieben.

Es ist zwanzig vor neun.

B

Es ist zehn nach sieben.

Es ist neun.

Es ist zwanzig nach eins.

Es ist fünf vor zwölf.

Es ist zwanzig vor fünf.

Es ist fünf vor halb elf.

Es ist fünf nach acht.

Es ist halb zwei.

Es ist Viertel vor zehn.

Es ist fünf nach halb vier.

Es ist Viertel nach drei.

Es ist zwanzig nach sechs.

Ein Rollenspiel zum Thema Termine ausmachen

Mit diesem Rollenspiel trainieren die TN, Termine vorzuschlagen und auszumachen. Gleichzeitig üben sie, Termine abzulehnen und Gründe dafür anzugeben. Nebenbei werden die Wochentage und Uhrzeiten wiederholt.

Vorbereitung

Kopieren Sie die Kopiervorlage 1 und schneiden Sie die Kopien entlang der Linien in zwei Hälften. Jeder TN erhält einen Wochenplan.
Kopieren Sie die Kopiervorlagen 2 und 3 für jede Gruppe einmal. Kleben Sie die Kopien von Kopiervorlage 2 auf dünne Pappe und schneiden Sie die Kärtchen entlang der Linien aus.

Ablauf

Bilden Sie Gruppen von je 2 bis 4 TN. Jeder TN bekommt einen Wochenplan und jede Gruppe einen Satz Kärtchen sowie ein Kinoprogramm. Die Kärtchen werden verdeckt gemischt und in die Mitte des Tisches gelegt. Jeder TN zieht 5 Kärtchen mit Terminen und trägt sie mit Uhrzeit an beliebigen Tagen in seinen Kalender ein.
Ein TN nimmt nun das Kinoprogramm und schlägt dem/den anderen TN seiner Gruppe entsprechend seinem eigenen Wochenplan vor, an einem Abend ins Kino zu gehen, z.B. so: „Wann können wir zusammen ins Kino gehen? Vielleicht am Montagabend um sieben? Da läuft Vollidiot." Der andere / die anderen TN antworten entsprechend ihren Wochenplänen: „Nein, da gehe ich zur Party." / „Da komme ich erst um acht vom Salsa-Kurs." etc. Sie schauen gemeinsam auf das Kinoprogramm und machen Gegenvorschläge: „Vielleicht am Donnerstag um Viertel nach acht? Da läuft Shoppen." Ziel ist es, einen Termin zu finden, an dem alle Gruppenmitglieder Zeit haben. Wenn dies zu lange dauert, können die TN ihre Wochenpläne auch offen auf den Tisch legen und miteinander abgleichen. Kann in den Viergruppen kein gemeinsamer Termin gefunden werden, können die TN sich auch in Zweiergruppen aufteilen: „Wir gehen am Dienstag um fünf Uhr in Spider-Man." – „Und wir gehen am Sonntag um zwei Uhr in Mr. Bean." Beenden Sie das Spiel nach etwa 15 bis 20 Minuten.

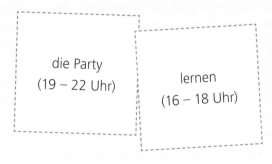

KOPIERVORLAGE 1

Montag	Dienstag	Mittwoch	Donnerstag	Freitag	Samstag	Sonntag

Montag	Dienstag	Mittwoch	Donnerstag	Freitag	Samstag	Sonntag

der Chor (16 – 18 Uhr)	der Zahnarzt (17.30 – 18 Uhr)	der Arzt (16 – 17 Uhr)	der Klavierunterricht (17 – 18.30 Uhr)
das Schwimmtraining (16.30 – 19 Uhr)	das Fußballspiel (15 – 19 Uhr)	das Konzert (20 – 22 Uhr)	die Oma (15 – 18 Uhr)
die Party (19 – 22 Uhr)	das Basketballtraining (17 – 19 Uhr)	der Job im Café (15 – 19 Uhr)	die Hausaufgaben (13 – 17 Uhr)
die Schule (8 – 16 Uhr)	lernen (16 – 18 Uhr)	das Taekwondo-Training (16 – 18 Uhr)	der Salsa-Kurs (18 – 20 Uhr)
das Handballtraining (18 – 19.30 Uhr)	die Disco (20 – 23 Uhr)	der Sport (16 – 18 Uhr)	das Tanztraining (17 – 19 Uhr)

GLORIA – KINO

20. – 26.04.

	Mo	Di	Mi	Do	Fr	Sa	So
	20.4.	21.4.	22.4.	23.4.	24.4.	25.4.	26.4.
Die drei ???						11:00	11:00
Mr. Bean	16:00	16:00	16:00	16:00	16:00	14:00	14:00
Spider-Man	17:00	17:00	17:00	17:00	17:00	15:00	15:00
Vollidiot	19:00	19:00	19:00	19:00	19:00	17:30	17:30
Shoppen	20:15	20:15	18:30	20:15	20:15	20:15	20:15
Harry Potter			21:00		21:00	21:00	

Ein Rollenspiel zum unbestimmten Artikel und Possessivartikel

Vorbereitung

Kopieren Sie für jede Gruppe die Kopiervorlage 1 einmal in DIN A3 und einmal in DIN A4. Kopieren Sie die Kopiervorlage 2 für jede Gruppe einmal. Kleben Sie die Kopien der Kopiervorlage 2 getrennt nach „Speisen" und „Getränken" auf verschiedenfarbigen dünnen Karton und schneiden Sie die Kärtchen entlang der Linien aus. Kopieren Sie die Kopiervorlage 3 auf eine Folie. Bringen Sie, wenn möglich, einige Teller, Tassen und Gläser mit.

Ablauf

Bilden Sie Gruppen von 2 bis 4 TN. Jede Gruppe erhält eine Speisekarte in DIN A3 und eine in DIN A4 (Kopiervorlage 1) sowie einen Satz Kärtchen (Kopiervorlage 2). Jede Gruppe bestimmt einen Kellner. Die anderen TN sind Gäste im Jugend-Café.
Der Kellner erhält die Kärtchen und sortiert, ohne sie genau anzusehen, die Hälfte davon aus: von den Kärtchen mit Speisen 12, von den Kärtchen mit Getränken 6. Er bekommt außerdem eine DIN-A4-Kopie der Speisekarte. Darauf streicht er die Speisen und Getränke durch, die er aussortiert hat. Anschließend legt er alle Kärtchen beiseite. Die Gäste sehen weder seine Speisekarte noch die Kärtchen.
Die Gäste bestellen nun beim Kellner mithilfe der großen Speisekarte verschiedene Speisen und Getränke. Die Speisen und Getränke, die der Kellner auf seiner Liste durchgestrichen hat, gibt es an diesem Tag nicht. Hat ein Gast eine solche Speise gewählt, muss der Kellner ihm dies sagen, und der Gast muss eine andere Speise wählen. Jeder Gast sollte – je nach Gruppengröße – mindestens 2 bis 4 Speisen und Getränke bestellen und bezahlen. Unterbrechen Sie die Aktivität nach ca. 15 bis 20 Minuten.
Nun setzen sich die Mitglieder jeder Gruppe zusammen und schreiben gemeinsam eine Szene in einem Lokal. Legen Sie als Hilfe die Folie der Kopiervorlage 3 auf den Tageslichtprojektor. Die TN können sich zudem Anregungen im Kurs- und Arbeitsbuch holen. Jedes Gruppenmitglied soll im Dialog einen Redepart bekommen. Pro Szene gibt es mindestens 1 bis 2 gewünschte Speisen oder Getränke nicht.
Nach etwa 10 bis 15 Minuten bekommen die TN zusätzlich weitere 10 Minuten Zeit, um ihre Szenen einzustudieren. Anschließend spielen die Gruppen ihre Dialoge vor der Klasse. Stellen Sie dafür, wenn möglich, einige Teller, Tassen und Gläser zur Verfügung. Gruppen, die etwas mehr Zeit benötigen, können ihre Szene auch bis zur nächsten Stunde einüben und dann vorführen.

Getränke

kalt		warm	
Mineralwasser (0,3 l)	1,30 €	Tasse Tee	1,40 €
Cola (0,2 l)	1,50 €	Tasse Kakao	1,60 €
Cola light (0,2 l)	1,50 €	Tasse Kaffee	1,60 €
Apfelsaft (0,3 l)	1,50 €	Milchkaffee	1,60 €

JUGEND-CAFÉ

Getränke

kalt		warm	
Mineralwasser (0,3 l)	1,30 €	Tasse Tee	1,40 €
Cola (0,2 l)	1,50 €	Tasse Kakao	1,60 €
Cola light (0,2 l)	1,50 €	Tasse Kaffee	1,60 €
Apfelsaft (0,3 l)	1,50 €	Milchkaffee	1,60 €
Orangensaft (0,3 l)	1,60 €	Cappuccino	1,60 €
Glas Milch (0,2 l)	1,50 €		
Eiskaffee	1,90 €		

Snacks

warm		kalt	
Hamburger	2,20 €	Salat	2,90 €
Pommes mit Ketchup	1,80 €	Käsebrötchen	1,80 €
Tomatensuppe	1,50 €	Wurstbrötchen	1,80 €
Currywurst	2,20 €	Fischbrötchen	2,00 €
Bratwurst mit Brötchen	2,10 €	Müsli	2,50 €
Kartoffeln mit Quark	2,30 €	Brot mit Ei	1,80 €
Pizza	2,40 €	Obst (1 Apfel / 1 Banane)	1,40 €
		Quark mit Obst	2,60 €
		Joghurt	1,50 €
		Eis	2,30 €
		Kuchen	2,20 €

Tagesmenüs

Menü 1	7,50 €	Menü 2	7,50 €
Suppe		Tomatensuppe	
Fisch mit Salzkartoffeln		Spaghetti Bolognese	
Eis oder Obst		Eis oder Obst	
Menü 3	7,50 €		
Salat			
Fleisch mit Gemüse oder Pommes			
Eis oder Obst			

Currywurst	Fleisch	Salat	Salzkartoffeln
Gemüse	(ein Stück) Kuchen	Tomatensuppe	Pommes mit Ketchup
Fisch mit Salzkartoffeln	Hamburger	Pizza	Spaghetti Bolognese
Wurstbrötchen	Fischbrötchen	Käsebrötchen	Kartoffeln mit Quark
Müsli	Quark mit Obst	Eis	Apfel
Banane	Brot mit Ei	Bratwurst mit Brötchen	Joghurt

Mineralwasser	Apfelsaft	Orangensaft	Cola
Cola light	Tee	Kaffee	Kakao
Glas Milch	Milchkaffee	Cappuccino	Eiskaffee

KOPIERVORLAGE 3

REDEMITTEL

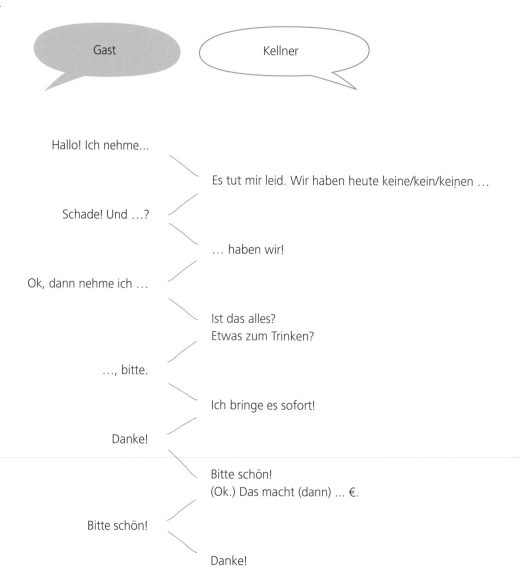

Gast

Kellner

Hallo! Ich nehme…

Es tut mir leid. Wir haben heute keine/kein/keinen …

Schade! Und …?

… haben wir!

Ok, dann nehme ich …

Ist das alles?
Etwas zum Trinken?

…, bitte.

Ich bringe es sofort!

Danke!

Bitte schön!
(Ok.) Das macht (dann) … €.

Bitte schön!

Danke!

© Hueber Verlag 2012, Zwischendurch mal … Spiele

Ein Ratespiel zu den Wortfeldern Familie und Berufe

Mit diesem Ratespiel werden die Bezeichnungen für Familienmitglieder und Berufe eingeübt. Außerdem wiederholen die TN Wendungen zu persönlichen Angaben (Name, Alter, Wohnort) und Interessen.

Vorbereitung

Kopieren Sie Kopiervorlagen 1 bis 4 (Partner 1 bzw. Partner 2) so oft, dass Sie Zweiergruppen bilden können. Ein TN erhält Kopiervorlagen 1 und 2, der andere Kopiervorlagen 3 und 4. Kopieren Sie außerdem Kopiervorlage 5 auf Folie.

Ablauf

Bilden Sie Paare. Ein TN erhält Kopiervorlagen 1 und 2, der andere Kopiervorlage 3 und 4. Jeder TN versucht für sich, die Familienbeziehungen seines Rätsels herauszufinden und trägt seine Informationen in den Stammbaum ein. Wenn beide Partner das Rätsel gelöst haben, tauschen sie ihre Blätter. Sie vergleichen die Stammbäume und überprüfen, ob die Lücken im Familienrätsel des Partners richtig ausgefüllt sind. Legen Sie, wenn alle TN fertig sind oder Sie zum Ende kommen möchten, die Folie mit dem Kontrollblatt (Kopiervorlage 5) auf den Tageslichtprojektor. Geben Sie den TN noch kurz Zeit, ihre Lösung zu kontrollieren.

		Andrea
		Schülerin
Alter:	Alter:	Alter: 14
		Frankfurt
		Tanzen

KOPIERVORLAGE 1

PARTNER 1: ANDREA

Lösen Sie das Familienrätsel und schreiben Sie die Informationen in den Familienstammbaum. Nicht alle Wörter passen!

1 Bruder 2 Cousin 3 Cousine 4 Großmutter 5 Großvater 6 Mutter 7 Onkel 8 Schwester 9 Tante 10 Vater

Ich heiße Andrea und ich wohne in Frankfurt. Das ist meine Familie:

1. Meine _____ Gisela ist Künstlerin.

   Sie lebt in Berlin und sie mag gern Popmusik. Ihr Bruder Thomas ist Ingenieur und

   50 Jahre alt.

2. Meine _____ heißt Ingrid. Sie ist

   schon 73 Jahre alt. Sie ist Hausfrau. Ihr Mann heißt Herbert. Sie lebt in Hamburg, wie

   ihr Mann. Ihre Tochter lebt in Berlin.

3. Meine _____ ist Journalistin von Beruf.

   Sie heißt Kathrin und ist 47 Jahre alt. Sie hat drei Kinder. Ich bin ihre Tochter. Ihr Mann heißt Thomas.

   Sie tanzt gern, wie ich.

4. Mein _____ heißt Martin. Er ist 13 und Schüler.

   Er spielt gern Gitarre. Sein Vater ist Arzt und seine Mutter Künstlerin. Seine Mutter ist 45 Jahre alt.

5. Mein _____ heißt Robert. Er ist Schüler und er ist

   17 Jahre alt. Er spielt gern Schach. Seine Schwester reitet gern. Sie leben in Frankfurt.

6. Meine _____ ist Studentin. Sie heißt Astrid und sie

   ist 21 Jahre alt. Sie reitet gern. Ihr Vater ist Ingenieur und schwimmt gern.

7. Meine _____ Christiane ist Martins Schwester.

   Sie mag Volleyball gern. Sie ist schon 20 Jahre alt. Christianes Vater ist 48 Jahre alt.

8. Mein _____ hört gern Musik. Seine Lieblingsmusik ist

   Klaviermusik. Seine Frau Ingrid spielt Klavier. Er ist 76 Jahre alt und er ist Architekt.

9. Mein _____ Walter hat zwei Kinder. Seine Tochter

   Christiane ist schon Studentin. Er mag gern Hunde. Seine Familie lebt in Berlin.

© Hueber Verlag 2012, Zwischendurch mal … Spiele

PARTNER 1: ANDREA

Ergänzen Sie den Familienstammbaum (Name, Beruf, Alter, Wohnort, Was mag er/sie?).

		Andrea
		Schülerin
Alter:	Alter:	Alter: 14
		Frankfurt
		Tanzen

Alter:	Alter:

Alter:	Alter:

Alter:	Alter:

Alter:	Alter:

KOPIERVORLAGE 3

PARTNER 2: MARTIN

Lösen Sie das Familienrätsel und schreiben Sie die Informationen in den Familienstammbaum. Nicht alle Wörter passen!

1 Bruder 2 Cousin 3 Cousine 4 Großmutter 5 Großvater 6 Mutter 7 Onkel 8 Schwester 9 Tante 10 Vater

Ich heiße Martin und ich wohne in Berlin. Das ist meine Familie:

1. Mein _____ Thomas ist Ingenieur von

   Beruf. Er ist 50 Jahre alt. Seine Frau heißt Kathrin. Sie leben in Frankfurt.

2. Mein _____ lebt in Berlin. Er ist Arzt

   und er mag Hunde gern. Er heißt Walter. Seine Frau ist Künstlerin und sie hört gern

   Popmusik.

3. Mein _____ ist Architekt von Beruf. Er heißt Herbert. Er ist schon

   76 Jahre alt und er hört gern Klaviermusik. Seine Kinder heißen Thomas und Gisela. Gisela ist meine Mutter.

4. Meine _____ Kathrin ist Journalistin. Sie ist 47 Jahre alt. Sie hat

   drei Kinder. Ihre Tochter Astrid ist Studentin und sie reitet gern.

5. Meine _____ ist Künstlerin. Sie ist 45 Jahre alt. Sie hat zwei

   Kinder: Ihre Tochter ist Studentin. Ich bin ihr Sohn.

6. Mein _____ Robert ist Schüler wie ich. Er ist schon 17 Jahre alt.

   Er spielt gern Schach. Sein Vater ist Thomas. Robert wohnt in Frankfurt.

7. Meine zwei _____ heißen Astrid und Andrea. Sie leben in

   Frankfurt. Astrid ist 21 Jahre alt, Andrea 14. Andrea ist Schülerin. Kathrin ist ihre Mutter. Andrea tanzt gern,

   wie ihre Mutter.

8. Meine _____ Ingrid ist Hausfrau und sie spielt gern Klavier.

   Sie ist 73 Jahre alt. Sie und ihr Mann leben in Hamburg. Ihr Sohn Thomas schwimmt gern.

9. Meine _____ Christiane ist Studentin. Sie spielt gern Volleyball.

   Sie ist 20 Jahre alt. Ihr Vater heißt Walter und er ist 48 Jahre alt. Sie lebt in Berlin, wie ihre Mutter.

PARTNER 2: MARTIN

Ergänzen Sie den Familienstammbaum (Name, Beruf, Alter, Wohnort, Was mag er/sie?).

Alter:	Alter:	Alter:

	Martin
	Schüler
Alter:	*Alter: 13*
	Berlin
	Gitarre

Alter:	Alter:

Alter:	Alter:

Alter:	Alter:

KONTROLLBLATT

Meine Familie

Astrid	Robert	Andrea
Studentin	Schüler	Schülerin
Alter: 21	Alter: 17	Alter: 14
Frankfurt	Frankfurt	Frankfurt
Reiten	Schach	Tanzen

Christiane	Martin
Studentin	Schüler
Alter: 20	Alter: 13
Berlin	Berlin
Volleyball	Gitarre

Kathrin	Thomas
Journalistin	Ingenieur
Alter: 47	Alter: 50
Frankfurt	Frankfurt
Tanzen	Schwimmen

Gisela	Walter
Künstlerin	Arzt
Alter: 45	Alter: 48
Berlin	Berlin
Popmusik	Hunde

Ingrid	Herbert
Hausfrau	Architekt
Alter: 73	Alter: 76
Hamburg	Hamburg
Klavier	Musik hören

Familienrätsel

Partner 1: Andrea
1. Tante
2. Großmutter
3. Mutter
4. Cousin
5. Bruder
6. Schwester
7. Cousine
8. Großvater
9. Onkel

Partner 2: Martin
1. Onkel
2. Vater
3. Großvater
4. Tante
5. Mutter
6. Cousin
7. Cousinen
8. Großmutter
9. Schwester

© Hueber Verlag 2012, Zwischendurch mal ... Spiele

Ein Schreibspiel zu Komposita

Vorbereitung

Machen Sie eine Kopie der Kopiervorlage, schneiden Sie die Kärtchen aus und stecken Sie sie in einen Umschlag.

Ablauf

Teilen Sie Ihre Klasse in Kleingruppen von 3 bis 4 TN auf. Lassen Sie eine der Kleingruppen ein Kärtchen aus dem Umschlag ziehen und vorlesen. Alle Gruppen haben eine Minute Zeit, um möglichst viele Komposita, die mit dem Wort auf dem Kärtchen gebildet werden, aufzuschreiben. Danach zieht die nächste Gruppe ein Kärtchen. Wenn ein leeres Kärtchen gezogen wird, darf die Gruppe selbst ein Wort, mit dem Komposita gebildet werden sollen, auswählen. Gewonnen hat die Gruppe, die die meisten Komposita findet.

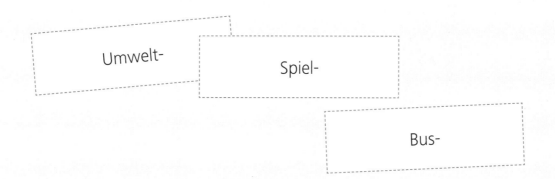

Kranken-	Spiel-
Schul-	Wohn-
Telefon-	Sprech-
Auto-	Lauf-
Bus-	Tür-
Reise-	Haus-
Umwelt-	Kleider-

Ein Wortschatzspiel zu den Themen Liebe und Freundschaft

Vorbereitung

Machen Sie für jede Gruppe eine Kopie der Kopiervorlagen 1 und 2. Schneiden Sie die Kärtchen aus und kleben Sie sie auf Karton.

Ablauf

Wenn Sie eine große Klasse haben, teilen Sie Ihre TN in Gruppen von 10 bis 15 TN auf. Jede Gruppe bildet zwei Teams. Ein TN des Teams A zieht eine Karte und versucht, den oben stehenden Begriff zu erklären. Er darf dabei die Wörter, die darunterstehen, oder Ableitungen aus diesen Wörtern nicht verwenden. Geräusche, Mimik und Gestik sind ebenfalls verboten. Die anderen TN des Teams A raten. Das Team hat zwei Minuten Zeit, um so viele Begriffe wie möglich zu beschreiben und zu erraten. Team B passt auf, dass bei der Beschreibung der Begriffe keine „verbotenen" Wörter verwendet werden und kontrolliert die Zeit. Nach zwei Minuten ist das andere Team an der Reihe. Gewonnen hat das Team, das die meisten Begriffe erraten konnte.

```
┌──────────────────────────┐
│                          │
│          Herz            │
│                          │
│         Körper           │
│         Organ            │
│         Liebe            │
│        klopfen           │
│                          │
└──────────────────────────┘
```

```
┌──────────────────────────┐
│          Engel           │
│                          │
│         Himmel           │
│         Flügel           │
│          weiß            │
│          gut             │
│                          │
└──────────────────────────┘
```

Blumenstrauß

Rose

Geburtstag

grün

riechen

Engel

Himmel

Flügel

weiß

gut

Traummann

schön

stark

Liebe

Date

Romantik

Kerze

Liebe

Film

Sonnenuntergang

Date

Verabredung

Traummann / Traumfrau

ausgehen

Kino

Herz

Körper

Organ

Liebe

klopfen

Eifersucht

betrügen

misstrauen

küssen

Freund / Freundin

Beschützer

helfen

für jemanden da sein

lieben

Gefahr

verliebt

Traummann / Traumfrau
immer an jemanden denken
Schmetterlinge
Gedicht

schüchtern

jemanden ansprechen
sich trauen
Angst haben
auslachen

treu

ein
betrügen
küssen
Partner / Partnerin

ehrlich

Wahrheit
lügen
sagen
zugeben

großzügig

Geschenk
verzeihen
entschuldigen

Missverständnis

Irrtum
falsch
Kommunikation

oberflächlich

aussehen
Äußeres
tief

Geschenk

Geburtstag
Papier
Schachtel
Schleife

Ein Frage-Antwort-Spiel zu den Pronomen und Possessivartikeln

Durch das Spiel werden die Personalpronomen *er, sie, es* sowie die Possessivartikel *dein, deine* eingeübt. Dafür müssen sich die TN das Genus der Nomen bewusst machen. Außerdem wird die Bedeutung der erlernten Adjektive trainiert.

Vorbereitung

Kopieren Sie die Kopiervorlage so oft, dass je eine Vierergruppe ein Spielfeld bekommt.

Ablauf

Bilden Sie Gruppen von je 4 TN, die jeweils in Zweierteams gegeneinander spielen. Jede Gruppe bekommt einen Spielplan. Jedes Team sucht sich ein Symbol (z.B. Kreuz oder Kreis) oder eine Farbe aus. Ziel jedes Teams ist es, drei Felder in einer Reihe (horizontal, vertikal oder diagonal) mit dem eigenen Symbol oder der eigenen Farbe zu markieren. Um ein Feld zu erhalten, muss das Team einen Dialog nach folgendem Muster richtig bilden:

Ist **dein** Tisch klein?

Nein, **er** ist groß.

Tisch klein?

Schreiben Sie diesen Musterdialog am besten an die Tafel, und erklären Sie, dass TN A besonders auf die richtige Form von *dein* achten muss, TN B besonders auf das richtige Personalpronomen. TN B muss außerdem das Gegenteil des Adjektivs finden.

Das zweite Team kontrolliert, ob der Dialog richtig war. Hat ein Team den Dialog zu einem Feld richtig gebildet, darf es dieses Feld mit seinem Symbol oder seiner Farbe markieren. Dann werden die Rollen getauscht: Team B spricht, Team A kontrolliert.

Gehen Sie herum und greifen Sie, wenn nötig, korrigierend ein. Gewonnen hat das Team, das es zuerst schafft, eine Dreierreihe zu belegen.

Lampe schön?	Buch billig?	Tisch klein?
Bleistift klein?	Briefmarke alt?	Heft teuer?
Stuhl hässlich?	Computer neu?	Fenster groß?

Lampe schön?	Buch billig?	Tisch klein?
Bleistift klein?	Briefmarke alt?	Heft teuer?
Stuhl hässlich?	Computer neu?	Fenster groß?

Ein Domino-Spiel zu den Personalpronomen und zur Verbkonjugation im Präsens

Dieses Dominospiel hilft, die Personalpronomina und die dazu passenden Verbformen ein-
zuüben. Nebenbei werden Nomen-Verb-Gefüge (Sport machen, Tennis spielen ...) wiederholt.

Vorbereitung

Kopieren Sie die Kopiervorlagen 1 und 2 für jede Gruppe ein Mal. Kleben Sie die Kopien auf
dünnen Karton und schneiden Sie dann die einzelnen Dominokärtchen aus.

Ablauf

Bilden Sie Gruppen von je 5 bis 6 TN. Jede Gruppe erhält einen Satz Dominokärtchen. Die
Karten werden gemischt und an die TN verteilt. Ein Kärtchen liegt aufgedeckt in der Mitte.
Reihum legt jeder TN links oder rechts ein passendes Kärtchen an (Verbform an Personalpronomen oder Personalpronomen an Verbform). Dabei sagt er laut den entstandenen Satz
(z.B. „Ich sammle CDs."). Wenn ein TN kein passendes Kärtchen hat, muss er eine Runde
aussetzen. Gewonnen hat, wer als Erster alle Dominokärtchen anlegen konnte. Spielen die
einzelnen Gruppen gegeneinander, hat die Gruppe gewonnen, die zuerst (soweit möglich)
alle Karten richtig angelegt hat.

machst Fotos.	Ich	sammelt CDs.	Du	mag Pferde.	Ich
habe keine Hobbys.	Du	trinke viel Tee.	Du	esse gern Pizza.	Ich
spiele Gitarre.	Sie	machst viel Sport.	Du	spielt Tennis.	Er
hörst gern Musik.	Er	esse viel Käse.	Es	spielt gern Basketball.	Ich
sammelst DVDs.	Er	spielst Computer.	Ich	spielst Gitarre.	Ich

gehst gern ins Kino. Du	liest gern Krimis. Sie	chattet viel. Es
hört Radio. Du	trinke gern Mineralwasser. Es	kostet 40 Euro. Du
liest Comics. Ich	spielt gern Fußball. Er	gehe ins Café. Sie
mag Chemie. Ich	liest gern Zeitung. Sie	geht gern ins Theater. Ich
bin supercool. Du	surft viel im Internet. Du	habe ein Hobby. Er

Ein Brettspiel zu „du" und „Sie"

Mit diesem Spiel wird die Verwendung der Höflichkeitsform *Sie* und der entsprechenden Possessivartikel *Ihr/Ihre* im Kontrast zu der Form *du/dein(e)* eingeübt. Nebenbei wiederholen die TN die Strukturen von Frage- und Aussagesatz.

Vorbereitung

Kopieren Sie die Kopiervorlage 1 auf A3 und kleben Sie die Kopie auf Pappe. Kopieren Sie dann die Kopiervorlagen 2 und 3 und kleben Sie die Kopien auf dünne Pappe. Machen Sie, je nach Klassengröße, mehrere Kopien, sodass Sie Vierer- bis Sechsergruppen bilden können. Schneiden Sie die Personenwürfel 1 und 2 (Kopiervorlage 2 und 3) aus, knicken Sie diese entlang der Falze und kleben Sie die Würfelseiten zusammen. Sie brauchen außerdem pro Gruppe einen Würfel und 4 bis 6 Spielfiguren.

Ablauf

Klären Sie vorab die Bedeutung der Felder „Start", „Ziel", „1 x aussetzen" und „1 Feld vor" möglichst in der Muttersprache der TN. Bilden Sie Vierer-, Fünfer- oder Sechsergruppen. Ein TN würfelt mit dem normalen Würfel und rückt mit seiner Spielfigur auf dem Spielplan entsprechend der gewürfelten Augenzahl vor. Dann würfelt er mit dem hellen Personenwürfel 1 (Kopiervorlage 2). Sein rechter Nachbar würfelt mit dem dunklen Personenwürfel 2 (Kopiervorlage 3). Nun vervollständigt der TN den Satz auf dem Spielfeld entsprechend der gewürfelten Personen. Dabei muss er entscheiden, ob er die angesprochene(n) Person(en) mit *du* oder *Sie* anspricht. Hat der TN mit dem hellen Würfel z.B. „Lehrer/Lehrerin" gewürfelt, sein Nachbar mit dem dunklen Würfel „zwei Touristen", so wird der TN in der Rolle des Lehrers / der Lehrerin die beiden Touristen siezen. Entsprechend vervollständigt er das erste Feld: „Wie heißen Sie?" Der Nachbar steigt nun in den Dialog ein und reagiert mit einer erfundenen Antwort. Die Gruppe kontrolliert die Antworten. Helfen Sie bei Unklarheiten.

Hat der erste TN seinen Satz richtig vervollständigt, so darf seine Figur auf dem Feld stehen bleiben. Wenn nicht, muss er sie ein Feld nach hinten setzen. Wenn der Nachbar in seiner Antwort die richtigen Formen verwendet hat, darf er seine Figur ein Feld nach vorne rücken. Nun ist der nächste TN an der Reihe zu würfeln. Landet eine Spielfigur beim Würfeln auf einem Feld mit dem Pferd, darf die Figur ein Feld nach vorne rücken. Der TN muss keine Aufgabe lösen. Landet eine Spielfigur beim Würfeln auf einem Feld mit der Schnecke, muss der TN eine Runde aussetzen, braucht aber auch keine Aufgabe zu lösen.

Um ins Ziel zu kommen, muss jeder TN den Satz auf dem orangefarbenen Feld direkt davor vervollständigen – egal mit welcher Zahl er auf dieses Feld gekommen ist. Macht er einen Fehler, so muss er es in der nächsten Runde erneut versuchen. Wenn eine Figur durch Vor-rücken auf dem orangefarbenen Feld landet, muss der entsprechende TN warten, bis er erneut an der Reihe ist.

DU ODER SIE?

= 1 Feld vor   = 1 x aussetzen

SPIELFELD

Wie ist ... Handynummer?	Woher ...? (kommen)	... Hilfe? (brauchen)	... Gitarre spielen? (können)	Sind das ... Fahrscheine?	... in Berlin? (wohnen)
... müde? (sein)	...jetzt wütend? (sein)	... einen Fahrschein? (haben)		Ich bezahle ... Orangensaft.	
	...70 Euro zahlen. (müssen)	**DU ODER SIE?** = 1 x aussetzen		... hier? (wohnen)	Ich denke, ... traurig. (sein)
... Fußball? (mögen)		= 1 Feld vor		Sind das ... Hunde?	Ist das ... Handy?
Ist das ... Fahrschein?	Ist das ... Fahrrad?			Wo ...? (wohnen)	
Wie ...? (heißen)	... morgen Zeit? (haben)	**Ziel**	... bitte. Ist das ... Hund? (entschuldigen)	... gern Fisch? (essen)	Wie ... diesen Film? (finden)
Start	... einen Tee trinken? (wollen)	Was ist ... Lieblingsband?		Ist das ... Buch?	... gern Cola? (trinken)

PERSONENWÜRFEL 1

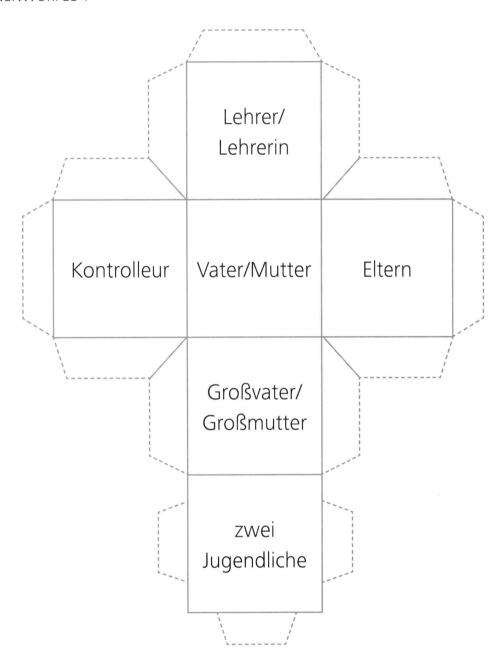

Lehrer/
Lehrerin

Kontrolleur | Vater/Mutter | Eltern

Großvater/
Großmutter

zwei
Jugendliche

PERSONENWÜRFEL 2

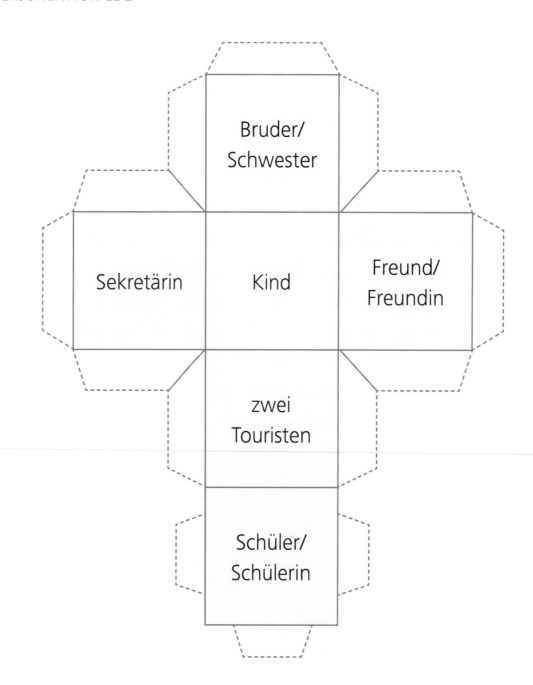

GEFÄLLT DIR DER PULLOVER?

Ein Rollenspiel zu den Personalpronomen im Nominativ und Dativ

Mit dem Spiel werden die Personalpronomen im Dativ gefestigt und die Personalpronomen im Akkusativ wiederholt. Außerdem üben die TN Verkaufsgespräche sowie die Verben *gefallen* und *stehen.*

Vorbereitung

Kopieren Sie die Kopiervorlage 1 auf Folie. Kopieren Sie die Kopiervorlage 2 so oft, dass jeweils eine Vierergruppe eine Kopie erhält. Schneiden Sie die Einkaufslisten an den Trennlinien auseinander. Kopieren Sie die Kopiervorlage 3 und kleben Sie die Kopien auf dünnen Karton. Schneiden Sie die Kärtchen entlang der Trennlinien aus und stecken Sie diese zusammen mit einem Satz Einkaufslisten in einen Briefumschlag.

Ablauf

Legen Sie die Folie (Kopiervorlage 1) auf den Tageslichtprojektor. Lassen Sie die drei Dialoge von je 2 TN vorlesen.
Bilden Sie Vierergruppen. Jede Gruppe erhält einen Satz Kärtchen und einen Satz Einkaufslisten. Jeder TN nimmt sich eine Einkaufsliste, auf der notiert ist, welche Dinge er auf dem Flohmarkt kaufen möchte. Jeder TN zieht außerdem vier Bildkärtchen. Hat er eine Karte mit einem Gegenstand gezogen, den er selbst sucht, kann er sie gleich behalten. Die Sachen auf den anderen Kärtchen möchte er auf dem Flohmarkt verkaufen.
Jeder TN sammelt nun die Bildkärtchen, die auf seiner Einkaufsliste stehen. Im Mittelpunkt stehen bei dieser Übung die Verkaufsgespräche. Besonders schöne Gespräche können später der Klasse vorgespielt werden. Geht die Teilnehmerzahl nicht auf, können einige TN auch als Paar auftreten, das gemeinsam nach den Dingen auf seiner Einkaufsliste sucht.

DIALOG 1

- Hast du einen Pullover?
- Ja. Gefällt dir der Pullover?
- Ja. Er gefällt mir gut. Wie viel kostet er?
- 5 Euro. Willst du ihn anprobieren?
- Ja. Gern. … Steht mir der Pullover?
- Ich finde, er steht dir gut.
- Dann nehme ich ihn.

DIALOG 2

- Hast du ein Kleid?
- Ja, hier. Gefällt dir das Kleid?
- Ja. Es ist super! Wie viel kostet es?
- 8 Euro. Willst du es anprobieren?
- Nein. Es ist für meine Schwester. Ich denke, es steht ihr.
  Aber 8 Euro, das ist teuer. Ich bekomme nur wenig Taschengeld.
- Na gut. 6 Euro.
- Okay. Dann nehme ich es.

DIALOG 3

- Hast du ein Handy?
- Ja, hier. Gefällt dir das Handy?
- Ja. Es gefällt mir total gut. Wie viel kostet es?
- 20 Euro.
- 20 Euro, das ist sehr teuer.
- Okay. 15 Euro.
- Na gut. Dann nehme ich es.

EINKAUFSLISTEN

Ich suche eine/einen

Hose

Rucksack

Kette

Uhr

Ich suche ein/eine

Jacke

T-Shirt

Gitarre

Top

Ich suche ein/eine/einen/-

Bluse

Sportschuhe

Pullover

Handy

Ich suche ein/eine/einen

Jeans

Ring

Tasche

Kleid

KÄRTCHEN

Pullover	Sportschuhe	Jeans	Jacke
Bluse	Ring	Hose	T-Shirt
Top	Tasche	Rucksack	Uhr
Kette	Kleid	Gitarre	Handy

© Hueber Verlag 2012, Zwischendurch mal … Spiele

Detektivspiel zu Fragepronomen

Vorbereitung

Kopieren Sie die Kopiervorlagen 1 und 2 und schneiden Sie die Rollenkärtchen aus. Wiederholen Sie vorher eventuell die Fragepronomen. Halten Sie außerdem Notizzettel für die TN bereit.

Ablauf

Bilden Sie Gruppen von je 4, 6 oder 8 TN.
Geben Sie folgende Anweisungen:
„Sie sind auf einer Party und haben als Detektiv die Aufgabe, eine bestimmte Person zu finden und fünf wichtige Details über sie zu erfahren. Sprechen Sie mit allen Gästen und stellen Sie Fragen! Wenn Sie möchten, können Sie sich die Antworten notieren."

Jeder Spieler bekommt eine Rollenkarte und übernimmt die darauf beschriebene Rolle. Durch Fragen versucht er, möglichst schnell die auf der Rollenkarte gesuchte Person zu finden und fünf Eigenschaften der Person zu erfahren. Dabei bewegen sich die Spieler im Raum. Hat ein Spieler sein Ziel erreicht, ist das Spiel beendet. Der Spieler nennt die Person und fünf ihrer Eigenschaften. Sind diese nicht vollständig oder falsch, geht das Spiel weiter.

Für Gruppen von 4 TN verwendet man die Rollenkarten der Kopiervorlage 1, für Gruppen von 6 TN zusätzlich die beiden oberen von Kopiervorlage 2, für Gruppen von 8 TN alle Rollenkarten.

Sie sind **Sergej Ustinov**

Heimatland: Russland
Geburtsort: Wladiwostok
Wohnort: Wien
Beruf: Student
Familienstand: ledig
Kinder: 1 Kind
Alter: 21
Hobbys: lesen, Musik machen (Gitarre)

Suchen Sie diese Person:
○ fotografiert gerne
○ ist 43 Jahre alt

Sie sind **Silvia Panatone**

Heimatland: Italien
Geburtsort: Parma
Wohnort: Hamburg
Beruf: Malerin
Familienstand: verheiratet
Kinder: 1 Kind
Alter: 33
Hobbys: kochen, reisen

Suchen Sie diese Person:
○ in Santiago geboren
○ hat keine Kinder

Sie sind **Sergej Ustinov**

Heimatland: Russland
Geburtsort: Wladiwostok
Wohnort: Wien
Beruf: Student
Familienstand: ledig
Kinder: 1 Kind
Alter: 21
Hobbys: lesen, Musik machen (Gitarre)

Suchen Sie diese Person:
○ fotografiert gerne
○ ist 43 Jahre alt

Sie sind **Victoria Sanchez**

Heimatland: Chile
Geburtsort: Santiago
Wohnort: Zürich
Beruf: Fotografin
Familienstand: ledig
Kinder: keine
Alter: 25
Hobbys: singen, Tango, fotografieren

Suchen Sie diese Person:
○ hat 1 Kind
○ in Parma geboren

Sie sind **Pradesh Singh**

Heimatland: Indien
Geburtsort: Delhi
Wohnort: Frankfurt
Beruf: Informatiker
Familienstand: geschieden
Kinder: 2
Alter: 43
Hobbys: fotografieren, Kino

Suchen Sie diese Person:
○ wohnt in Wien
○ hat 1 Kind

Sie sind **Katharina Zbigniev**

Heimatland: Polen
Geburtsort: Warschau
Wohnort: München
Beruf: Autorin
Familienstand: verheiratet
Kinder: 2 Kinder
Alter: 33
Hobbys: singen, Theater

Suchen Sie diese Person:
◯ malt gerne
◯ hat keine Kinder

Sie sind **Hiroshi Yahama**

Heimatland: Japan
Geburtsort: Kyoto
Wohnort: Berlin
Beruf: Ingenieur
Familienstand: ledig
Kinder: keine
Alter: 25
Hobbys: malen, Tennis

Suchen Sie diese Person:
◯ wohnt in München
◯ hat 2 Kinder

Sie sind **Olav Gustafson**

Heimatland: Schweden
Geburtsort: Stockholm
Wohnort: Frankfurt
Beruf: Sänger
Familienstand: ledig
Kinder: 1
Alter: 25
Hobbys: surfen, Briefe schreiben

Suchen Sie diese Person:
◯ hat 1 Kind
◯ in Parma geboren

Sie sind **Stefania Papadopoulos**

Heimatland: Griechenland
Geburtsort: Thessaloniki
Wohnort: München
Beruf: Verkäuferin
Familienstand: verheiratet
Kinder: 2
Alter: 52
Hobbys: Volleyball, Kino

Suchen Sie diese Person:
◯ 25 Jahre alt
◯ wohnt in Frankfurt

WELCHES HANDY IST DENN IHR HANDY?

Ein Rollenspiel zum Fragepronomen *welch-*

Vorbereitung

Kopieren Sie die Kopiervorlagen 1 und 2 für jede Gruppe einmal und kleben Sie die Kopien auf dünne Pappe. Schneiden Sie dann die Kärtchen aus und geben Sie sie zusammen in einen Briefumschlag.

Ablauf

Bilden Sie Zweier- bis Vierergruppen. Jede Gruppe bekommt einen Briefumschlag mit den beiden Kartensätzen. Ein TN übernimmt das Fundbüro (am besten ein Tisch) und bekommt die Bilder-kärtchen (Kopiervorlage 1), die er vor sich ausbreitet. Die anderen TN haben Dinge verloren und bekommen die Wortkärtchen (Kopiervorlage 2), die sie verdeckt mischen. Ein TN zieht ein Wort-kärtchen (z.B. „das Handy") und geht damit zum Fundbüroleiter: „Ich suche mein Handy. Haben Sie / Hast du mein Handy?" Der Fundbüroleiter nimmt das Bildkärtchen mit den Handys und fragt nach: „Welches Handy ist denn dein/Ihr Handy?" Der erste TN antwortet:
„Das Handy hier." Er bekommt das Bilderkärtchen mit den Handys und legt sie zusammen mit dem Wortkärtchen beiseite. Nun übernimmt er das Fundbüro und ein anderer TN kommt, weil er etwas vermisst. Beenden Sie das Rollenspiel, wenn jeder TN dreimal den Fundbüroleiter ge-spielt hat.

der Ball

KOPIERVORLAGE 1

BILDERKÄRTCHEN

WORTKÄRTCHEN

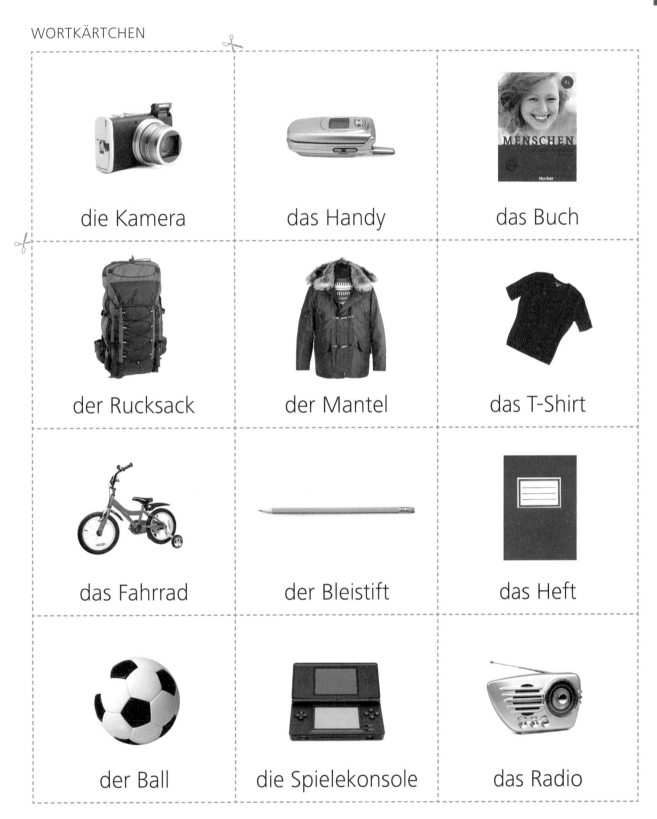

die Kamera	das Handy	das Buch
der Rucksack	der Mantel	das T-Shirt
das Fahrrad	der Bleistift	das Heft
der Ball	die Spielekonsole	das Radio

Ein Memo-Spiel zu Adjektiv-Gegensatzpaaren

Memo-Spiele werden meistens mit kleinen Bildkarten gespielt. Sie trainieren in erster Linie das Gedächtnis: Die TN müssen sich während des Spiels merken, wo die einzelnen Karten liegen. In diesem Fall geht es gleichzeitig um das Einüben von Adjektiven mit gegensätzlicher Bedeutung. Die TN sollen erkennen, welche Gegensatzpaare zusammengehören.

Vorbereitung

Kopieren Sie die Kopiervorlagen für die Memo-Kärtchen. Kleben Sie diese auf festes Papier oder dünne Pappe. Dann schneiden Sie die einzelnen Kärtchen aus. Teilen Sie die Klasse in Gruppen von je 2 bis 5 TN ein. Sie brauchen pro Gruppe einen Satz Kärtchen.

Ablauf

Schreiben Sie ein Beispiel an die Tafel und erklären Sie den Spielablauf:
Die Karten werden gemischt und verdeckt auf dem Tisch verteilt. Ein TN beginnt und deckt nacheinander zwei Karten auf. Wenn die Adjektive auf den Karten ein Gegensatzpaar sind, darf er es behalten und weitermachen. Im anderen Fall werden die Karten wieder umgedreht auf den Tisch gelegt, und der Nächste ist an der Reihe. Gewonnen hat am Ende der TN mit den meisten passenden Adjektiv-Paaren.

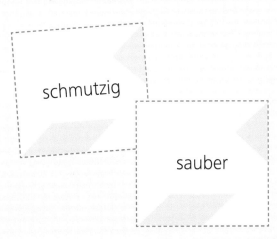

sympathisch	unsympathisch	klein	groß
hässlich	hübsch	freundlich	unfreundlich
stark	schwach	warm	kalt
jung	alt	langsam	schnell
früh	spät	gut	schlecht

richtig	falsch	spannend	langweilig
laut	leise	locker	streng
dumm	schlau	schmutzig	sauber
toll	blöd	ordentlich	unordentlich
pünktlich	unpünktlich	leicht	schwer

Ein Kartenspiel zum Komparativ

Vorbereitung

Das Spiel lehnt sich an das Kartenspiel „Schwarzer Peter" an. Kopieren Sie die Kopiervorlagen 1 bis 4 für jede Gruppe ein Mal. Kleben Sie die kopierten Kopiervorlagen auf dünne Pappe. Schneiden Sie die Spielkarten aus. Stecken Sie die Spielkarten jeweils in einen Umschlag.

Ablauf

Bilden Sie Vierergruppen. Jede Gruppe erhält einen Umschlag mit den Spielkarten. Ein TN mischt die Spielkarten und verteilt sie. Ein anderer TN beginnt und zieht eine Spielkarte vom Nachbarn rechts von ihm.
Wenn er ein passendes Paar in der Hand hat, darf er es auf den Tisch legen und vorlesen. Wenn nicht, darf sein Nachbar vom Nachbarn rechts eine Karte ziehen usw.
Wer am Schluss den Schwarzen Peter (die Schwarze Katze) hat, hat verloren.

100 Cent sind genauso viel …

… wie ein Euro.

Ein Ferrari ist genauso schnell …	… wie ein Maserati.	Ein Basketballspieler ist größer …
… als ein Jockey.	Der Mount Everest ist höher …	… als alle Berge in Deutschland.
Ich trinke lieber Cola …	… als Milch.	Ein Fußballspiel ist länger …

… als ein
100-Meter-Lauf.

Schokolade
schmeckt mir
genauso gut …

… wie Obst.

Basketball
ist genauso
interessant …

… wie Fußball.

Real Madrid
spielt besser …

… als der
FC Bayern
München.

Ein Tennisball
ist kleiner …

… als ein
Fußball.

Das Trikot von Austria Wien ist schöner …	… als das Trikot vom FC Basel.	100 Cent sind genauso viel …
… wie ein Euro.	Eine Minute ist kürzer …	… als eine Stunde.
Mathe finde ich genauso leicht …	… wie Biologie.	Ein Kilogramm Tomaten ist genauso schwer …

... wie ein Kilo Popcorn.

60 Minuten sind genauso lang ...

... wie eine Stunde.

Ein Papagei ist bunter ...

... als eine Maus.

Ein Brettspiel zum Komparativ und Superlativ

Vorbereitung

Kopieren Sie für jede Gruppe ein Spielfeld. Jede Gruppe erhält dazu einen Würfel, jeder TN eine Spielfigur.

Ablauf

Bilden Sie Gruppen von 3 bis 4 TN. Die TN würfeln reihum und ziehen entsprechend der Augenzahl nach vorn. Auf dem Feld, auf dem sie landen, müssen die TN die anderen zwei Formen ergänzen (z.B. am *meisten*, *viel*, *mehr*).

Variante

Nachdem die TN alle Formen genannt haben, bilden sie mit dem Wort einen Satz. Wenn alles richtig ist, dürfen die TN auf dem Feld bleiben, wenn nicht, müssen sie auf das Ausgangsfeld zurück.

SPIELFELD

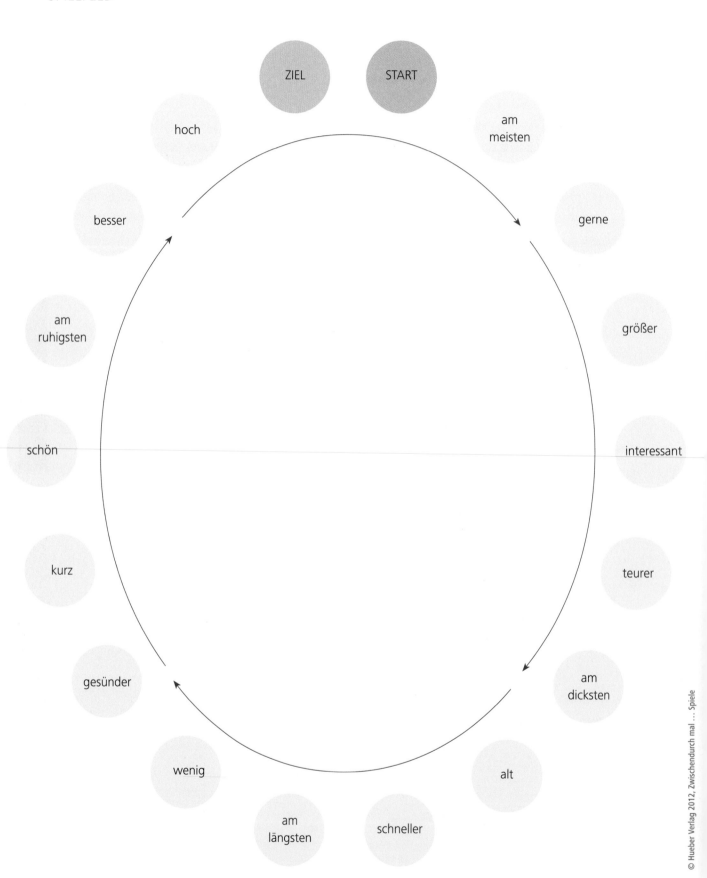

Ein Memo-Spiel zum Komparativ

Vorbereitung

Machen Sie für jede Gruppe eine Kopie der Kopiervorlage, schneiden Sie die Kärtchen aus und verteilen Sie sie an die Gruppen. Wenn Sie mehr als 16 TN haben, machen Sie dementsprechend mehr Kopien. Denken Sie auch daran, die unterschiedlichen Teilsätze farblich zu kennzeichnen (z.B. linke Spalte auf weißes Papier kopieren, rechte auf gelbes).

Ablauf

Teilen Sie Ihre Klasse in Kleingruppen von je 4 TN auf. Die Karten werden gemischt und nach Farben getrennt verdeckt auf den Tisch gelegt. Die TN decken nun der Reihe nach je eine weiße und eine gelbe Karte auf. Passen die Karten zusammen, darf der TN sie behalten. Wenn sie nicht zusammenpassen, werden die Karten wieder verdeckt auf den Tisch gelegt. Danach ist der nächste TN an der Reihe. Gewonnen hat, wer am Ende die meisten Paare hat.

Variante

Wenn Sie eine ideenreiche Gruppe haben und Sie Ihre TN noch ein wenig fordern wollen, lassen Sie sie die Sätze selbst schreiben: Jeder TN schreibt vier Sätze mit *je – desto* oder *je – umso* auf die Karten, den *je*-Teil auf eine weiße Karte, den *desto*- oder *umso*-Teil auf eine gelbe Karte.

Achtung: Möglicherweise passen auch Satzteile zusammen, die nicht als zusammengehörig gedacht waren, und einige Karten bleiben übrig.

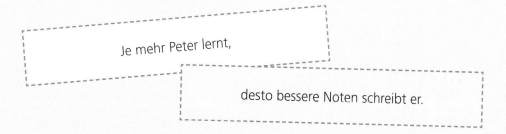

Je mehr Peter lernt,

desto bessere Noten schreibt er.

Je länger ich darüber nachdenke,	desto besser gefällt mir die Idee.
Je dunkler es wird,	desto mehr fürchte ich mich im Wald.
Je einfacher der Test ist,	umso mehr Schüler schreiben gute Noten.
Je mehr Peter lernt,	desto bessere Noten schreibt er.
Je weniger Anna isst,	umso dünner wird sie.
Je länger Susi in Berlin lebte,	desto besser sprach sie Deutsch.
Je länger Frauke in Spanien lebte,	desto besser sprach sie Spanisch.
Je länger ich den Skifahrern zusah,	desto mehr Lust bekam ich, das auch zu lernen.
Je besser Jan sie kennt,	desto mehr liebt er sie.
Je länger ich dich kenne,	umso wichtiger wirst du für mich.
Je öfter ich Ski fahren gehe,	desto schneller fahre ich den Berg hinunter.
Je schneller ich laufe,	umso eher bin ich da.
Je größer mein Bruder wird,	desto stärker wird er auch.
Je älter meine Oma wird,	umso mehr weiße Haare bekommt sie.
Je öfter Peter in der Sonne liegt,	umso brauner wird er.
Je länger ich am Abend ausgehe,	desto müder bin ich am nächsten Tag.

Ein Quartettspiel zur Adjektivdeklination mit bestimmtem Artikel

Vorbereitung

Kopieren Sie die Kopiervorlagen und schneiden Sie die Quartettkarten aus. Jede Gruppe mit jeweils vier TN braucht einen Satz mit 24 Quartettkarten. Stecken Sie je einen Satz Karten in einen Umschlag.

Ablauf

Teilen Sie Ihre Klasse in Gruppen von je 4 TN. Jede Gruppe bekommt einen Satz Quartettkarten. Ein TN pro Gruppe mischt die Karten und verteilt sie. Jeder TN hat nun 6 Karten und versucht, Quartette zu sammeln. Dabei fragen die TN sich gegenseitig:

> Hanna, hast du die schwarze Jacke?

> Nein, tut mir leid. Ich bin dran.

Oder:

> Max, ich möchte den großen Hut.

> Hier bitte.

Hat der TN die Karte, nach der er gefragt wird, muss er sie dem TN, der gefragt hat, geben. Wenn ein TN eine Karte bekommt, darf er noch einmal fragen. Wenn nicht, ist der TN dran, der gerade gefragt worden ist. Oben links auf den Karten ist das Symbol der aktuellen Karte angegeben, unten die Symbole der Karten, die zum Quartett fehlen. Wer ein komplettes Quartett hat, legt es ab. Wer am Ende die meisten Quartette abgelegt hat, hat gewonnen.

 klein

groß

weiß

 schwarz

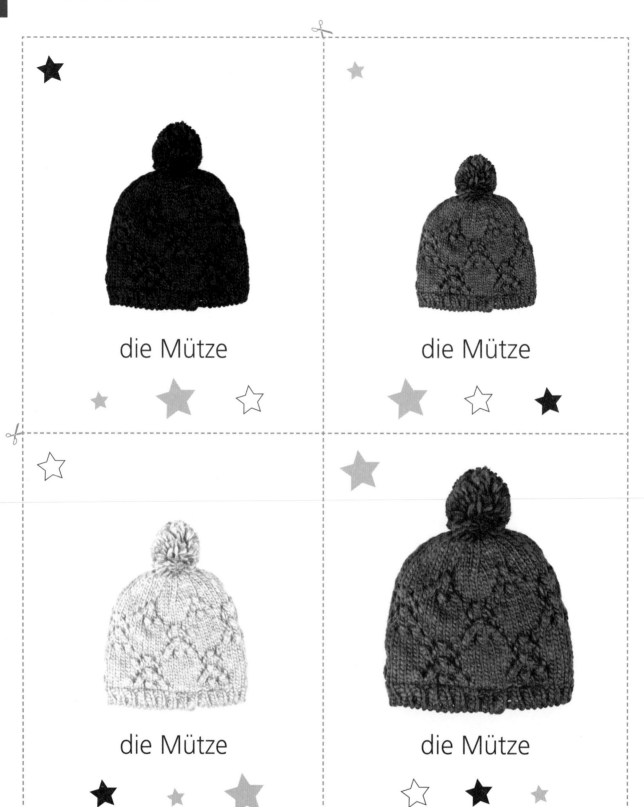

die Mütze

die Mütze

die Mütze

die Mütze

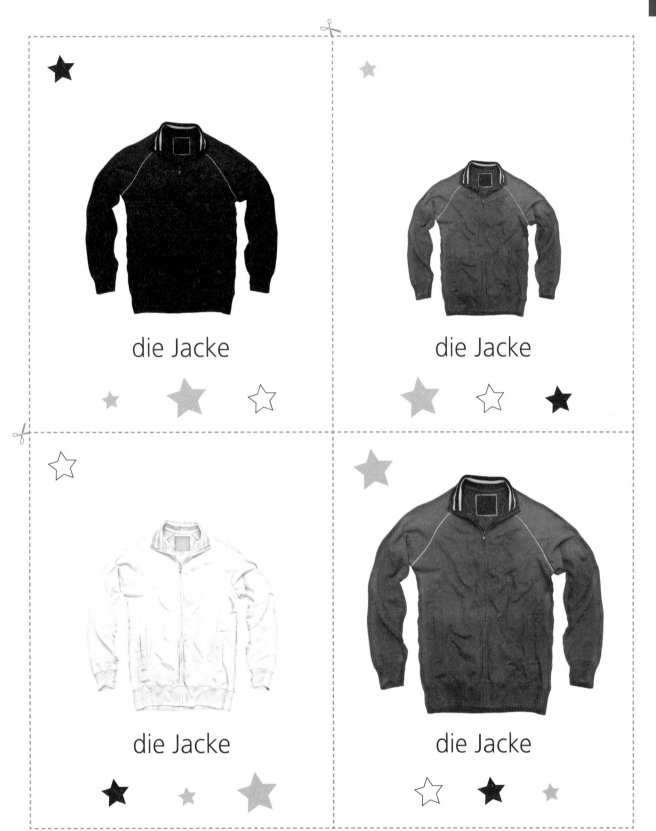

die Jacke

die Jacke

die Jacke

die Jacke

der Mantel

der Mantel

der Mantel

der Mantel

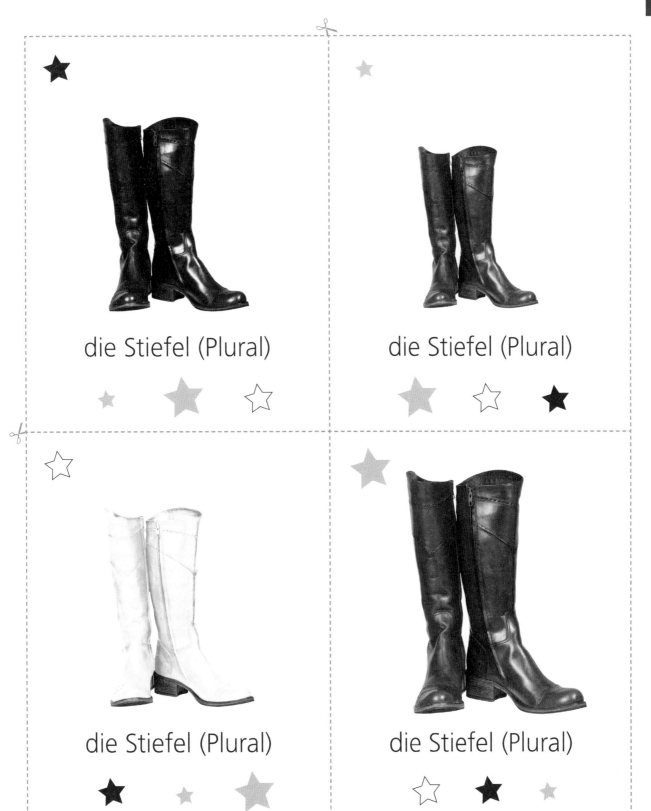

die Stiefel (Plural)

die Stiefel (Plural)

die Stiefel (Plural)

die Stiefel (Plural)

das T-Shirt

das T-Shirt

das T-Shirt

das T-Shirt

der Pulli

der Pulli

der Pulli

der Pulli

Ein Bingo-Spiel zu den Partizipien

Vorbereitung

Kopieren Sie das Bingofeld für jeden TN und schneiden Sie die Wortkärtchen einzeln aus.

Spielablauf

Die TN erhalten die Bingofelder.
Übernehmen Sie zunächst die Rolle des Spielleiters / der Spielleiterin. Sie haben die Feldkärtchen mit den Nomen und beginnen das Spiel.
Rufen Sie nacheinander ein Nomen auf. Die TN suchen auf ihrem Spielfeld ein Verb, mit dem sich ein zu dem Nomen passendes Adjektiv bilden lässt.
Beispiel:

Buch
+ lesen = ein gelesenes Buch
+ beeindrucken = ein beeindruckendes Buch

Wer zuerst ein passendes Adjektiv gebildet hat, bekommt das Kärtchen und legt es auf das Verb- Feld. Wer zuerst eine diagonale, waagerechte oder senkrechte Reihe abgedeckt hat, hat gewonnen.

Variante 1

Erschweren Sie das Spiel durch Bedingungen:
• die Adjektivendung muss korrekt sein, sonst kommt der/die Nächste an die Reihe.
• das Adjektiv muss nach einem Muster in einen Satz umgewandelt werden:
Ein gelesenes Buch ist ein Buch, das gelesen worden ist.
Ein beeindruckendes Buch ist ein Buch, das mich beeindruckt (hat).
• das Adjektiv muss erweitert werden:
ein von vielen Menschen gelesenes Buch
ein besonders beeindruckendes Buch

Variante 2

Die TN spielen in einer Kleingruppe. Die Feldkärtchen mit den Nomen werden dann umgedreht in die Mitte gelegt. Reihum decken die Gruppenmitglieder ein Nomen auf. Die anderen TN müssen auf ihrem Spielfeld ein Verb finden, mit dem sich ein zu dem Nomen passendes Adjektiv bilden lässt. Wer zuerst ein passendes Adjektiv gebildet hat, bekommt das Kärtchen und legt es auf das Verb-Feld. Wer zuerst eine diagonale, waagerechte oder senkrechte Reihe abgedeckt hat, hat gewonnen.

BINGOFELD

packen	lesen	gut schreiben	speichern
entscheiden	sprechen	beeindrucken	übersetzen
spielen	besuchen	steigen	überraschen
installieren	kritisieren	erschrecken	öffnen

WORTKÄRTCHEN

Film	Buch	Computer	Programm	Farbe
Geschichte	Wort	Preis	Zeitung	Information
Kind	Besucher	Titel	Text	Autorin
Datei	Leser (Pl.)	Fernsehen	Sendung	Problem

Würfelspiel zur Verbkonjugation im Präsens

Vorbereitung

Jede Gruppe erhält eine Kopie des Spielfelds und des Kontrollblatts, 4 Spielfiguren (oder verschiedene Münzen, Knöpfe etc.) und einen Würfel.

Ablauf

Teilen Sie Ihre Klasse in Gruppen von je 4 TN. Ein TN beginnt, würfelt und zieht mit seiner Spielfigur entsprechend der gewürfelten Augenzahl auf ein Verb. Dann bildet er gemäß der Augenzahl die richtige Verbform:

| ich | du | er/sie | wir | ihr | sie |

Zum Beispiel:

Der TN würfelt 4, zieht vier Felder vor auf das Verb *warten* und bildet die Form *wir warten*.
In Zweifelsfällen kontrollieren die übrigen TN die Antwort mithilfe des Kontrollblatts.
Ist die Verbform falsch, muss der TN drei Felder zurück.
Wer als Erster das Ziel erreicht hat, hat gewonnen.

© Hueber Verlag 2012, Zwischendurch mal … Spiele

KONTROLLBLATT (ALPHABETISCH GEORDNET)

antworten

ich antworte	wir antworten
du antwortest	ihr antwortet
er/sie antwortet	sie antworten

arbeiten

ich arbeite	wir arbeiten
du arbeitest	ihr arbeitet
er/sie arbeitet	sie arbeiten

bleiben

ich bleibe	wir bleiben
du bleibst	ihr bleibt
er/sie bleibt	sie bleiben

finden

ich finde	wir finden
du findest	ihr findet
er/sie findet	sie finden

fragen

ich frage	wir fragen
du fragst	ihr fragt
er/sie fragt	sie fragen

gewinnen

ich gewinne	wir gewinnen
du gewinnst	ihr gewinnt
er/sie gewinnt	sie gewinnen

haben

ich habe	wir haben
du hast	ihr habt
er/sie hat	sie haben

heißen

ich heiße	wir heißen
du heißt	ihr heißt
er/sie heißt	sie heißen

hören

ich höre	wir hören
du hörst	ihr hört
er/sie hört	sie hören

kennen

ich kenne	wir kennen
du kennst	ihr kennt
er/sie kennt	sie kennen

kommen

ich komme	wir kommen
du kommst	ihr kommt
er/sie kommt	sie kommen

lachen

ich lache	wir lachen
du lachst	ihr lacht
er/sie lacht	sie lachen

lernen

ich lerne	wir lernen
du lernst	ihr lernt
er/sie lernt	sie lernen

lesen

ich lese	wir lesen
du liest	ihr lest
er/sie liest	sie lesen

lieben

ich liebe	wir lieben
du liebst	ihr liebt
er/sie liebt	sie lieben

machen

ich mache	wir machen
du machst	ihr macht
er/sie macht	sie machen

malen

ich male	wir malen
du malst	ihr malt
er/sie malt	sie malen

möchten

ich möchte	wir möchten
du möchtest	ihr möchtet
er/sie möchte	sie möchten

rechnen

ich rechne	wir rechnen
du rechnest	ihr rechnet
er/sie rechnet	sie rechnen

sagen

ich sage	wir sagen
du sagst	ihr sagt
er/sie sagt	sie sagen

schreiben

ich schreibe	wir schreiben
du schreibst	ihr schreibt
er/sie schreibt	sie schreiben

sein

ich bin	wir sind
du bist	ihr seid
er/sie ist	sie sind

singen

ich singe	wir singen
du singst	ihr singt
er/sie singt	sie singen

spielen

ich spiele	wir spielen
du spielst	ihr spielt
er/sie spielt	sie spielen

sprechen

ich spreche	wir sprechen
du sprichst	ihr sprecht
er/sie spricht	sie sprechen

suchen

ich suche	wir suchen
du suchst	ihr sucht
er/sie sucht	sie suchen

telefonieren

ich telefoniere	wir telefonieren
du telefonierst	ihr telefoniert
er/sie telefoniert	sie telefonieren

trinken

ich trinke	wir trinken
du trinkst	ihr trinkt
er/sie trinkt	sie trinken

warten

ich warte	wir warten
du wartest	ihr wartet
er/sie wartet	sie warten

wiederholen

ich wiederhole	wir wiederholen
du wiederholst	ihr wiederholt
er/sie wiederholt	sie wiederholen

wohnen

ich wohne	wir wohnen
du wohnst	ihr wohnt
er/sie wohnt	sie wohnen

zeichnen

ich zeichne	wir zeichnen
du zeichnest	ihr zeichnet
er/sie zeichnet	sie zeichnen

Ein Brettspiel zur Konjugation von trennbaren und nicht trennbaren Verben

Vorbereitung

Kopieren Sie Kopiervorlage 1 auf A3 und kleben Sie die Kopie auf dünne Pappe. Machen Sie je nach Klassengröße mehrere Kopien, sodass Sie Zweier- bzw. Vierergruppen bilden können. Kopieren Sie die Kopiervorlage 2 für jede Gruppe. Sie benötigen außerdem pro Gruppe einen Würfel und 12 Spielfiguren (jeweils 6 einer Farbe).

Ablauf

Bilden Sie Gruppen von je 2 oder 4 TN (Einzelspieler oder Zweierteams). Jede Gruppe erhält einen Spielplan (Kopiervorlage 1), ein Lösungsblatt (Kopiervorlage 2), einen Würfel und je 12 Spielfiguren (jeweils 6 einer Farbe). Jeder TN (bzw. jedes Team) stellt die eigenen Figuren auf die 6 Pronomenfelder an einem Ende des Spielplans.

Die Teams würfeln abwechselnd und rücken eine Figur ihrer Wahl um die gewürfelte Zahl nach vorne. Um mit der Figur auf dem Feld stehen bleiben zu dürfen, muss der TN das am Rand stehende Verb in der richtigen Personalform (je nach vorgerückter Spielfigur) konjugieren. Kann er die Form nicht korrekt bilden, muss er zum nächsten freien Feld zurück und die dort verlangte Verbform nennen. Ist auch diese Form nicht korrekt, muss er wiederum zum nächsten freien Feld zurück, braucht aber keine Verbform mehr zu bilden. Kommt ein TN beim Würfeln auf ein Feld, auf dem schon eine gegnerische Figur steht, und kann er die richtige Verbform nennen, so muss die gegnerische Figur zurück an den Start.

Gewonnen hat, wem es zuerst gelingt, seine 6 Figuren von der einen Seite zur anderen zu bringen.

Die Lösungen auf Kopiervorlage 2 sind nach dem Alphabet sortiert, damit die TN sie schneller finden.

Variante

Die TN bilden nicht nur die richtige Verbform, sondern einen ganzen Satz, in dem das am Rand stehende Verb in der passenden Personalform vorkommt.

KOPIERVORLAGE 1

SPIELFELD

	ich	du	er sie es	wir	ihr	sie Sie	
anfangen							anfangen
essen							essen
aussteigen							aussteigen
fernsehen							fernsehen
einkaufen							einkaufen
mitbringen							mitbringen
zuhören							zuhören
dürfen							dürfen
zumachen							zumachen
sehen							sehen
anrufen							anrufen
mitkommen							mitkommen
sein							sein
einsteigen							einsteigen
nehmen							nehmen
aufmachen							aufmachen
	ich	du	er sie es	wir	ihr	sie Sie	

KONTROLLBLATT

	ich	du	er sie es	wir	ihr	sie Sie	
anfangen	fange an	fängst an	fängt an	fangen an	fangt an	fangen an	anfangen
essen	esse	isst	isst	essen	esst	essen	essen
aussteigen	steige aus	steigst aus	steigt aus	steigen aus	steigt aus	steigen aus	aussteigen
fernsehen	sehe fern	siehst fern	sieht fern	sehen fern	seht fern	sehen fern	fernsehen
einkaufen	kaufe ein	kaufst ein	kauft ein	kaufen ein	kauft ein	kaufen ein	einkaufen
mitbringen	bringe mit	bringst mit	bringt mit	bringen mit	bringt mit	bringen mit	mitbringen
zuhören	höre zu	hörst zu	hört zu	hören zu	hört zu	hören zu	zuhören
dürfen	darf	darfst	darf	dürfen	dürft	dürfen	dürfen
zumachen	mache zu	machst zu	macht zu	machen zu	macht zu	machen zu	zumachen
sehen	sehe	siehst	sieht	sehen	seht	sehen	sehen
anrufen	rufe an	rufst an	ruft an	rufen an	ruft an	rufen an	anrufen
mitkommen	komme mit	kommst mit	kommt mit	kommen mit	kommt mit	kommen mit	mitkommen
sein	bin	bist	ist	sind	seid	sind	sein
einsteigen	steige ein	steigst ein	steigt ein	steigen ein	steigt ein	steigen ein	einsteigen
nehmen	nehme	nimmst	nimmt	nehmen	nehmt	nehmen	nehmen
aufmachen	mache auf	machst auf	macht auf	machen auf	macht auf	machen auf	aufmachen
	ich	du	er sie es	wir	ihr	sie Sie	

Ein Rollenspiel zu den Modalverben

Vorbereitung

Kopieren Sie Kopiervorlage 1 und schneiden Sie die Rollenkarten aus.

Ablauf

Bilden Sie Paare (Partner A und Partner B). Jeder Spieler bekommt eine Rollenkarte und übernimmt die darauf beschriebene Rolle.
Ziel ist ein gemeinsames Verhandlungsergebnis.
Zur Unterstützung können Sie den Spielern Gesprächsanfänge geben (Kopiervorlage 2).

1A
Sie wollen in eine Disko gehen, aber Sie dürfen nicht hinein. Der Türsteher kann sehr schlecht sehen, er hat eine dicke Brille. Sie haben eine Verabredung mit Claudia Schiffer. Sie wartet. Sie sollen sie in der Disko treffen!

1B
Sie sind der Türsteher in einer Diskothek. Ein Mann will hinein. Aber seine Kleidung ist schrecklich, der Mann ist nicht sauber, das ist nicht erlaubt. Er aber sagt, er kennt Claudia Schiffer … . Sie sagen: „Nein"!

1

Spiel 1

1A Guten Tag.
1B Guten Tag. Tut mir leid. Sie dürfen nicht in die Disko.
1A Wie bitte? Ich muss aber!
1B Tut mir leid, es geht nicht.
1A Aber ich möchte Frau … treffen, das ist meine Freundin. Sie wartet. Ich muss …
…

1A
Sie wollen in eine Disko gehen, aber Sie dürfen nicht hinein. Der Türsteher kann sehr schlecht sehen, er hat eine dicke Brille. Sie haben eine Verabredung mit Claudia Schiffer. Sie wartet. Sie sollen sie in der Disko treffen!

1B
Sie sind der Türsteher in einer Diskothek. Ein Mann will hinein. Aber seine Kleidung ist schrecklich, der Mann ist nicht sauber, das ist nicht erlaubt. Er aber sagt, er kennt Claudia Schiffer … Sie sagen: „Nein"!

2A
Sie arbeiten in einem 3-Sterne-Restaurant. Ein Gast will seine Suppe nicht bezahlen. Der Koch ist ein Genie und Suppenspezialist.

2B
Sie sind im Restaurant. Die Suppe ist kalt, zu salzig und schmeckt schlecht. Sie wollen nicht bezahlen.

3A
Sie sind in der Universitätsbibliothek. Sie haben morgen einen wichtigen Test. Sie müssen viel lernen. Eine Studentin redet laut. Deshalb können Sie nicht lernen.

3B
Sie sind in der Universitätsbibliothek. Sie diskutieren mit Ihrer Freundin eine wichtige mathematische Frage. Sie haben eine neue Lösung. Eine Sensation!

4A
Sie wollen heute Nachmittag mit Ihrem Freund ein Eis essen. Das Wetter ist perfekt. Sie möchten unbedingt ein Eis!

4B
Sie wollen heute Nachmittag Ihr Motorrad reparieren. Es ist schon seit 1 Jahr kaputt. Danach wollen Sie nur fahren, fahren, fahren. Das Wetter ist perfekt!

5A
Ihre Kollegin im Büro raucht und raucht und raucht. Es stinkt. Ihnen geht es gar nicht mehr gut. Sie möchten das Fenster aufmachen. Frische Luft ist gesund!

5B
Sie arbeiten im Büro. Es ist kalt. Sie möchten morgen nicht krank sein. Das Fenster muss zu sein. Sie rauchen gern Zigaretten, aber nur 10 pro Tag.

GESPRÄCHSANFÄNGE

1

1A Guten Tag.
1B Guten Tag. Tut mir leid. Sie dürfen nicht in die Disko.
1A Wie bitte? Ich muss aber!
1B Tut mir leid, es geht nicht.
1A Aber ich möchte Frau ... treffen, das ist meine Freundin. Sie wartet. Ich muss ...
...

2

2A So, das macht ...
2B Was, so viel? – Hören Sie, ich möchte die Suppe nicht bezahlen.
2A Wie bitte? Aber Sie müssen ...
2B Nein, ich muss gar nichts. Die Suppe ...
2A ...

3

3A Entschuldigung, können Sie bitte leise sein?
3B Wie bitte?
3A Ja, Sie sollen leise sein. Ich muss ...
3B Aber ich ... mit ... sprechen. Das ist sehr wichtig.
3A ...

4

4A Du, ich habe eine Idee.
4B Ja?
4A Ich möchte so gern ein Eis essen. Das Wetter ist so schön, komm doch.
4B Aber ich ... Du siehst doch, ich muss jetzt mein Motorrad reparieren.
4A Du kannst dein Motorrad doch morgen ...
4B Ich muss noch das Rad wechseln und dann kann ich fahren!!
4A ...

5

5A Entschuldigung, können Sie vielleicht das Fenster aufmachen?
5B Was? Das Fenster aufmachen? Nein, das möchte ich nicht. Es ist kalt.
5A Aber Sie rauchen so viel! Bitte, machen Sie das Fenster auf.
5B ...
5A Es stinkt. Mir geht es nicht gut.
5B ...

Ein Kartenspiel zum Perfekt

Vorbereitung

Kopieren Sie die Kopiervorlage für jede Gruppe ein Mal und schneiden Sie Kärtchen aus. Jede Gruppe erhält ein Kartenset.

Ablauf

Bilden Sie Gruppen von je 3 bis 6 TN.
Die Kärtchen werden verdeckt auf den Tisch gelegt. Ein TN zieht ein Kärtchen und liest die Frage seinem linken Mitspieler vor. Wenn dieser die Frage korrekt beantworten kann, darf er das Kärtchen behalten und selbst das nächste Kärtchen ziehen usw. Kann der linke Mitspieler die Frage jedoch nicht beantworten, erhält der übernächste Mitspieler links die Chance. Wird die Frage auch diesmal nicht korrekt beantwortet, kommt das Kärtchen zurück zu den anderen Kärtchen. Gewinner ist, wer am Ende die meisten Kärtchen erhalten hat.

> Was haben Sie letztes Wochenende gemacht?

> Was haben Sie gestern Abend zu Abend gegessen?

Was haben Sie als Kind gern gemacht?	Was haben Sie als Schüler oft gemacht?	Wohin sind Sie im letzten Urlaub gefahren?	Wo haben Sie Auto fahren oder Rad fahren gelernt?
Was haben Sie gestern Abend gemacht?	Was haben Sie letztes Wochenende gemacht?	Wann haben Sie zuletzt Spaghetti gegessen?	Wer hat Ihnen zuletzt geholfen?
Wo haben Sie zuletzt in einem Hotel geschlafen?	Was haben Sie zuletzt gegessen?	Was haben Sie als Kind gerne getrunken?	Wo haben Sie als Kind gern gespielt?
Wann waren Sie zuletzt im Internet?	Wohin sind Sie zuletzt mit dem Zug gefahren?	Was haben Sie gestern Abend zu Abend gegessen?	Wann sind Sie heute aufgestanden?
Wie lange haben Sie gestern Deutsch gelernt?	Was haben Sie heute zum Frühstück gegessen?	Was hat Ihnen im Urlaub gut gefallen?	Was hat Ihnen im Deutschkurs am besten gefallen?
Was haben Sie in der Schule gerne gemacht?	Wann haben Sie zuletzt geträumt?	Wann sind Sie gestern nach Hause gekommen?	Haben Sie schon einmal in einem Zelt geschlafen?
Hatten Sie schon mal einen Unfall?	Waren Sie schon einmal im Krankenhaus?	Wann haben Sie Ihren letzten Brief geschrieben?	Wann haben Sie zuletzt telefoniert?
Welches Buch haben Sie zuletzt gelesen?	Welchen Kinofilm haben Sie zuletzt gesehen?	Was haben Sie zuletzt gesucht?	Wann und wo haben Sie zuletzt getanzt?

Ein Brettspiel zum Perfekt von trennbaren und nicht trennbaren Verben

Vorbereitung

Kopieren Sie die Kopiervorlagen (Spielfeld und Kontrollblatt) für jede Gruppe. Kopieren Sie nach Möglichkeit das Spielfeld auf ein etwas stärkeres Papier. Jede Gruppe braucht einen Würfel und 12 Spielfiguren – je 6 in derselben Farbe. Sie können auch zwölf Münzen oder Knöpfe nehmen. Wichtig ist, dass die Spielfiguren der beiden Teams gut zu unterscheiden sind.

Ablauf

Teilen Sie die Klasse in Gruppen von je 4 TN. Diese bilden zwei Teams. Die zwei Teams sitzen sich gegenüber und haben die Schmalseite (Pronomen) des Spielfeldes vor sich. Sie verteilen ihre Spielfiguren auf die sechs Pronomenfelder. Dies sind die Start- und Zielfelder. Ziel des Spiels ist es, die eigenen Spielfiguren auf die andere Seite des Spielfeldes zu bringen. Unterwegs muss bei jedem Spielzug eine Verbform korrekt genannt werden.

Spielregeln

Die Spieler/Teams würfeln abwechselnd und rücken eine ihrer Figuren um die gewürfelte Zahl vor. Die Figuren bewegen sich immer geradeaus. Nach jedem Zug muss zum Verb am Rand des Spielfeldes die Perfekt-Form gebildet werden und zwar in der Person, die die Pronomen-Bahn vorgibt. Wer eine 6 würfelt, darf gleich noch einmal würfeln und ziehen.

Beispiel:

Ein TN würfelt eine 3 und bewegt die Figur auf der Bahn des Pronomenfelds *ihr*. Er landet beim Verb *fahren* bzw. *finden* und muss nun die Form *ihr seid gefahren* bzw. *ihr habt gefunden* bilden.

Was passiert, wenn man die richtige Form nicht bilden kann?
Wenn ein TN die korrekte Form nicht nennen kann, muss er ein Feld zurück und versucht dort, die richtige Form zu finden.

Was passiert, wenn gegnerische Figuren aufeinandertreffen?
Wenn ein TN auf ein Feld kommt, auf dem bereits eine Figur des anderen Teams steht, kann er diese herauswerfen und wieder an den Start schicken. Natürlich darf er das nur tun, wenn er die richtige Verbform genannt hat.

Kontrolle
Die beiden Teams kontrollieren jeweils, ob die Verbformen richtig sind. Im Zweifelsfall wird auf dem Kontrollblatt nachgesehen.

SPIELFELD

A	ich	du	er sie es	wir	ihr	sie Sie	A
holen							holen
aufstehen							aufstehen
finden							finden
sprechen							sprechen
vergessen							vergessen
gehen							gehen
aufräumen							aufräumen
telefonieren							telefonieren
hören							hören
einkaufen							einkaufen
mitkommen							mitkommen
fernsehen							fernsehen
verkaufen							verkaufen
fahren							fahren
sagen							sagen
arbeiten							arbeiten
B	ich	du	er sie es	wir	ihr	sie Sie	B

KONTROLLBLATT

	ich	du	er sie es	wir	ihr	sie Sie
holen	habe geholt	hast geholt	hat geholt	haben geholt	habt geholt	haben geholt
aufstehen	bin aufgestanden	bist aufgestanden	ist aufgestanden	sind aufgestanden	seid aufgestanden	sind aufgestanden
finden	habe gefunden	hast gefunden	hat gefunden	haben gefunden	habt gefunden	haben gefunden
sprechen	habe gesprochen	hast gesprochen	hat gesprochen	haben gesprochen	habt gesprochen	haben gesprochen
vergessen	habe vergessen	hast vergessen	hat vergessen	haben vergessen	habt vergessen	haben vergessen
gehen	bin gegangen	bist gegangen	ist gegangen	sind gegangen	seid gegangen	sind gegangen
aufräumen	habe aufgeräumt	hast aufgeräumt	hat aufgeräumt	haben aufgeräumt	habt aufgeräumt	haben aufgeräumt
telefonieren	habe telefoniert	hast telefoniert	hat telefoniert	haben telefoniert	habt telefoniert	haben telefoniert
hören	habe gehört	hast gehört	hat gehört	haben gehört	habt gehört	haben gehört
einkaufen	habe eingekauft	hast eingekauft	hat eingekauft	haben eingekauft	habt eingekauft	haben eingekauft
mitkommen	bin mitgekommen	bist mitgekommen	ist mitgekommen	sind mitgekommen	seid mitgekommen	sind mitgekommen
fernsehen	habe ferngesehen	hast ferngesehen	hat ferngesehen	haben ferngesehen	habt ferngesehen	haben ferngesehen
verkaufen	habe verkauft	hast verkauft	hat verkauft	haben verkauft	habt verkauft	haben verkauft
fahren	bin gefahren	bist gefahren	ist gefahren	sind gefahren	seid gefahren	sind gefahren
sagen	habe gesagt	hast gesagt	hat gesagt	haben gesagt	habt gesagt	haben gesagt
arbeiten	habe gearbeitet	hast gearbeitet	hat gearbeitet	haben gearbeitet	habt gearbeitet	haben gearbeitet

Ein Brettspiel zum Konjunktiv II

Vorbereitung

Kopieren Sie die Vorlage und kleben Sie sie dann auf festes Papier oder eine dünne Pappe. Jeder TN bekommt eine Spielfigur (als Ersatz kann eine Geldmünze verwendet werden).

Ablauf

Bilden Sie Gruppen von je 3 bis 4 Spielern. Jede Gruppe erhält einen Würfel.
Die TN stellen ihre Spielfigur auf das Feld „Start". Der erste TN beginnt und würfelt.
Entsprechend der Augenzahl des Würfels bewegt er seine Figur. Zu dem Begriff auf diesem Feld formuliert er einen Wunsch bzw. einen Traum.

Beispiel:

Alter –
Ach, wäre ich noch einmal 5 Jahre.

Es wäre schön, wenn ich schon 65 Jahre wäre. Dann müsste ich nicht mehr arbeiten.

Lernen –
Ich würde gerne Spanisch lernen.

Die anderen TN kontrollieren, ob der Satz korrekt ist. Wenn ja, darf der TN, der den Satz formuliert hat, auf dem Feld bleiben. Wenn nicht, muss er auf das nächste leere Feld zurück. Gewonnen hat derjenige, der als Erster das Ziel erreicht hat.
Zu Beginn wird festgelegt, ob eine oder zwei Runden gespielt werden. Kommt ein TN auf ein leeres Feld, würfelt er noch einmal bzw. so lange, bis er auf einem Feld mit einem Begriff steht.

Ermuntern Sie die TN, verschiedene Formulierungen zu verwenden:

- Ich würde / hätte gerne ...
- Hätte ich doch ...
- Ach, könnte ich doch ...
- Würde ich nicht so oft / so viel ...
- Ich fände es toll, wenn ...
- Es wäre schön, wenn ...

SPIELFELD

START

Kleidung → Musikinstru-ment

Hobby   Reise   Getränk   ZIEL

Haushalt   Partner

Sportart   Essen   Kaufen

Beruf   Wohnort   Lernen

Alter   Aktivität am Abend

Möbel   positive Eigenschaft

Tier →

Ein Ratespiel zum Konjunktiv II

Vorbereitung

Machen Sie für jeden TN eine Kopie der Kopiervorlage und verteilen Sie sie.

Ablauf

Nachdem alle TN sich die Situationen durchgelesen haben, wird ein TN, der sich freiwillig für diese Aufgabe meldet, gebeten, einen Moment vor der Türe zu warten. Die Klasse überlegt sich so lange zusammen mit Ihnen eine äußerst unangenehme Situation für den TN vor der Türe.

Dann wird der TN wieder ins Klassenzimmer gerufen. Er soll erraten, in welcher der unangenehmen Situationen er steckt. Die Klasse gibt Hinweise:

An deiner Stelle würde ich ... / Wenn ich du wäre, würde ich ...

Achten Sie darauf, dass der Konjunktiv gebraucht wird. Wenn der TN seine Situation erraten hat, wird ein anderer TN vor die Türe gebeten.

Variante

Wenn Sie Ihren TN die Aufgabe erschweren möchten und eine ideenreiche Gruppe haben, arbeiten Sie ohne Vorlage und lassen Sie die TN sich die unangenehmen Situationen selbst ausdenken.

Du wartest in einem Café auf deine Freundin, aber sie kommt nicht.

Du hast am Morgen vergessen, deine Schuhe anzuziehen und bist in alten Hausschuhen unterwegs.

Du hast deine Fahrkarte vergessen und wirst in der U-Bahn kontrolliert.

Du hast am Morgen vergessen, deine Schuhe anzuziehen und bist in alten Hausschuhen unterwegs.

Du wartest in einem Café auf deine Freundin, aber sie kommt nicht.

Du siehst, wie deine Freundin / dein Freund eine/n andere/n küsst.

Dein/e Lehrer/in erwischt dich, wie du bei deiner Nachbarin / deinem Nachbarn abschreibst.

Du bist heute nicht zur Schule gegangen, sondern verbringst den Tag lieber am Strand. Dabei triffst du leider die beste Freundin deiner Mutter.

Du hast deine Hausaufgabe vergessen.

Du bekommst einen Liebesbrief von jemandem, der dir gar nicht gefällt.

Du bekommst einen Liebesbrief von jemandem, der deiner Freundin / deinem Freund sehr gefällt.

Du hast 200 € verloren.

Du hast den Geburtstag deiner besten Freundin vergessen.

Ein Bingo-Spiel zu den Verben mit Präpositionen

Vorbereitung

Kopieren Sie die Kopiervorlagen 1 bis 3 entsprechend der Anzahl der Gruppen. Schneiden Sie die vier Bingofelder (Verben) aus und verteilen Sie sie an die Spieler. Schneiden Sie die Kärtchen mit den Präpositionen einzeln aus und geben Sie sie den Spielleitern.

Spielverlauf

Bilden Sie Gruppen von je 5 TN. Vier sind Spieler, ein TN ist Spielleiter. Jeder Spieler bekommt ein Spielfeld mit Verben.
Der Spielleiter erhält die Kärtchen mit den Präpositionen und die Verbliste zum Kontrollieren.
Der Spielleiter mischt die Kärtchen mit den Präpositionen, wählt eine aus und sagt sie an.
Der Spieler, der das passende Verb zuerst nennt, erhält das Kärtchen zum Abdecken, vorausgesetzt, Verb und Präposition passen zusammen. (Eine zusätzliche Bedingung wäre, mit Verb und Präposition einen Satz zu bilden.)

Variante

Das Spiel kann auch ohne Spielleiter gespielt werden. Dazu werden die Präpositionen-Kärtchen verdeckt in die Mitte gelegt, nacheinander gezogen und zugeordnet. Die Gruppe kontrolliert die Korrektheit gemeinsam.

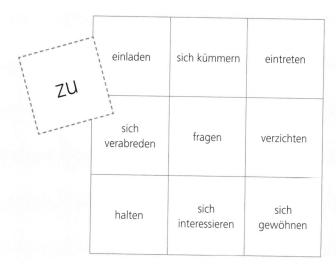

KOPIERVORLAGE 1

BINGOFELDER

sich bemühen	warten	suchen
führen	denken	sich beschäftigen
sich bedanken	geraten	sich fernhalten

gehören	verheiratet sein	schmecken
bitten	sich freuen	sich erinnern
sich verwandeln	handeln	sich entscheiden

einladen	sich kümmern	eintreten
sich verabreden	fragen	verzichten
halten	sich interessieren	sich gewöhnen

sich verlieben	rechnen	sich erkundigen
teilnehmen	sich bewerben	gratulieren
sich vorbereiten	ausgehen	sorgen

KÄRTCHEN FÜR DIE SPIELLEITER/INNEN

um	um	um	um
mit	mit	mit	mit
auf	auf	auf	auf
für	für	für	für
zu	zu	zu	zu
in	in	in	in
nach	nach	nach	nach
von	von	von	von
an	an	an	an

KOPIERVORLAGE 3

KONTROLLBLATT (VERBEN MIT PRÄPOSITIONEN)

sich bemühen	um		ausgehen	von	gratulieren	zu
sich kümmern	um		sich bedanken	für	halten	von
bitten	um		sich bemühen	um	handeln	von
sich bewerben	um		sich beschäftigen	mit	sich interessieren	für
			sich bewerben	um	interessiert sein	an
sich beschäftigen	mit		bitten	um	sich kümmern	um
verheiratet sein	mit		denken	an	rechnen	mit
sich verabreden	mit		einladen	zu	schmecken	nach
rechnen	mit		eintreten	in	sorgen	für
			sich entscheiden	für	suchen	nach
sich freuen	auf		sich erinnern	an	teilnehmen	an
verzichten	auf		sich erkundigen	nach	sich verabreden	mit
sich vorbereiten	auf		sich fernhalten	von	verheiratet sein	mit
warten	auf		fragen	nach	sich verlieben	in
			sich freuen	auf	sich verwandeln	in
sich entscheiden	für		führen	zu	verzichten	auf
sorgen	für		gehören	zu	sich vorbereiten	auf
sich bedanken	für		geraten	in	warten	auf
sich interessieren	für		sich gewöhnen	an		
führen	zu					
gehören	zu					
einladen	zu					
gratulieren	zu					
sich verwandeln	in					
eintreten	in					
sich verlieben	in					
geraten	in					
sich erkundigen	nach					
suchen	nach					
fragen	nach					
schmecken	nach					
ausgehen	von					
sich fernhalten	von					
handeln	von					
halten	von					
teilnehmen	an					
denken	an					
sich erinnern	an					
sich gewöhnen	an					

Ein Kartenspiel zu den lokalen Präpositionen mit Dativ

Bei diesem Spiel werden die lokalen Präpositionen zu verschiedenen Orten und Gebäuden auf die Frage „Wo?" eingeübt. Außerdem wiederholen die TN Sätze mit dem Modalverb *können*.

Vorbereitung

Kopieren Sie die Kopiervorlage für jede Gruppe einmal und kleben Sie die Kopien auf dünne Pappe. Schneiden Sie die Kärtchen entlang der Linien aus.

Ablauf

Bilden Sie Gruppen von je 3 bis 5 TN. Jede Gruppe erhält einen Satz Kärtchen. Die Kärtchen werden verdeckt gemischt und in die Mitte des Tisches gelegt. Ein TN zieht eine Karte und erklärt den anderen TN den darauf genannten Ort, z.B.: „Man kann hier Musik hören und tanzen. Wo bin ich?" Die anderen TN raten: „Du bist in der Disco." Wer den Ort erraten hat, darf das Kärtchen behalten und ist als Nächster an der Reihe.
Gewonnen hat der TN, der am Schluss die meisten Kärtchen hat.

die Post

die Post 	die Bank 	der Spielplatz 	die Apotheke 
das Krankenhaus 	der Flughafen 	der Bahnhof 	der Marktplatz 
das Café 	die Schule 	das Museum 	die Bibliothek 
das Schwimmbad 	der Park 	das Bad 	der Garten 
die Disco 	das Wohnzimmer 	das Kaufhaus 	das Restaurant 

Ein Brettspiel zu den Präpositionen mit Dativ und Akkusativ

Mit diesem Spiel üben die TN die Wechselpräpositionen *in* und *an* sowie die Präpositionen *zu* und *nach*.

Vorbereitung

Kopieren Sie die Kopiervorlage (= Spielfeld), möglichst in DIN-A3-Format, und kleben Sie die Kopien auf dünne Pappe.
Sie brauchen einen Spielplan pro Gruppe, einen Würfel und, je nach Gruppengröße, drei bis sechs verschiedenfarbige Spielfiguren.

Ablauf

Bilden Sie Gruppen von je 3 bis 6 TN. Jede Gruppe bekommt einen Spielplan, einen Würfel und pro Spieler eine Spielfigur.
Jeder Spieler stellt seine Spielfigur auf das Startfeld. Ein TN würfelt und zieht mit seiner Figur entsprechend seiner Punktzahl nach vorn. Je nach Ausgangs- und Zielfeld sagt er z.B. „Ich bin am Start und gehe in die Berge / ans Meer." bzw. „Ich bin am Meer und gehe in die Bibliothek." Die Gruppe kontrolliert, ob der Satz korrekt ist. Nur wenn der Satz richtig gebildet wurde, darf der TN mit seiner Figur auf dem gewürfelten Feld stehen bleiben. Sonst muss er zum Ausgangs-feld des Spielzugs zurück. Dann ist der nächste TN an der Reihe.
Der TN, der als Erster ins Ziel kommt, hat gewonnen.

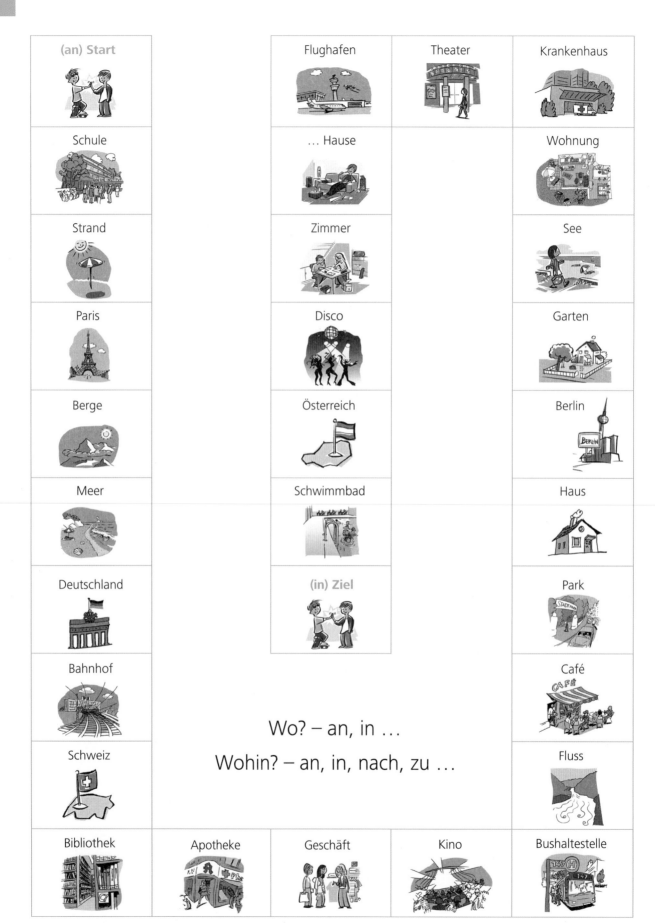

(an) Start		Flughafen	Theater	Krankenhaus
Schule		… Hause		Wohnung
Strand		Zimmer		See
Paris		Disco		Garten
Berge		Österreich		Berlin
Meer		Schwimmbad		Haus
Deutschland		(in) Ziel		Park
Bahnhof				Café
Schweiz				Fluss
Bibliothek	Apotheke	Geschäft	Kino	Bushaltestelle

Wo? – an, in …

Wohin? – an, in, nach, zu …

© Hueber Verlag 2012, Zwischendurch mal … Spiele

Ein Diktat zum Mitzeichnen zu den lokalen Präpositionen und den Orts- und Richtungsangaben

Vorbereitung

Bilden Sie Paare und kopieren Sie die beiden unten stehenden Anleitungen (Spieler A / Spieler B) und für jeden TN einen Kasten (Kopiervorlage). Die TN dürfen die Anleitung des anderen Spielers nicht lesen.

Spieler A

Lies Spieler B den folgenden Text langsam vor. Mach nach jedem Satz eine Pause. Spieler B zeichnet, was er hört. Die Zeichnung muss nicht toll sein, sie kann ganz einfach sein. Dann bist du dran. Spieler B liest seinen Text vor, und du zeichnest in den Kasten, was du hörst. Anschließend tauscht ihr die Blätter aus und vergleicht die Zeichnungen mit den Texten.

Links an der Wand steht ein Schrank. Auf dem Schrank sitzt ein Teddy. Hinten links an der Wand ist ein Fenster. Vor dem Fenster hängen Vorhänge. Hinten rechts steht ein Regal. Auf dem Regal steht ein Blumentopf. Links neben dem Regal hängt ein Bild. Rechts an der Wand ist noch ein Fenster. In der Mitte steht ein Tisch. Auf dem Tisch stehen drei volle Flaschen. Links neben dem Tisch steht ein Stuhl. Vor dem Tisch liegt ein Teppich. Unter dem Tisch stehen Schuhe. Auf dem Teppich sitzt ein Hund.

Spieler B

Lies Spieler A den folgenden Text langsam vor. Mach nach jedem Satz eine Pause. Spieler A zeichnet, was er hört. Die Zeichnung muss nicht toll sein, sie kann ganz einfach sein. Dann bist du dran. Spieler A liest seinen Text vor, und du zeichnest in den Kasten, was du hörst. Anschließend tauscht ihr die Blätter aus und vergleicht die Zeichnungen mit den Texten.

Links an der Wand ist ein Fenster. Vor dem Fenster steht ein Blumentopf. Hinten an der Wand steht ein Bett. Über dem Bett hängt ein Regal. In dem Regal liegen zwei Bücher. Auf dem Bett sitzt eine Puppe. Vor dem Bett stehen Schuhe. Rechts an der Wand hängt ein Poster. Neben dem Poster steht ein Schrank. In der Mitte steht ein kleiner Tisch. Auf dem Tisch stehen vier leere Flaschen. Rechts neben dem Tisch steht ein Sessel. In dem Sessel sitzt ein Hund. Unter dem Tisch liegt ein Mensch und schläft.

Ein Kartenspiel zur Negation

Mit diesem Spiel üben die TN die Verneinung mit *nicht* und *kein*. Auch die Satzposition von *nicht* bei Verneinung von Verben und Adjektiven wird trainiert.

Vorbereitung

Kopieren Sie die Kopiervorlage 1 für jede Gruppe einmal, wenn möglich in DIN A3. Kleben Sie den Spielplan auf dünne Pappe. Kopieren Sie die Kopiervorlage 2 für jede Gruppe einmal und kleben Sie die Kopien auf dünne Pappe. Schneiden Sie dann die Kärtchen entlang der Linien aus. Sie brauchen außerdem je nach Spielerzahl pro Gruppe 3 bis 5 Spielfiguren und einen Würfel.

Ablauf

Bilden Sie Gruppen von 3 bis 5 TN. Jede Gruppe erhält ein Spielfeld, einen Würfel und eine Spielfigur pro Spieler. Alle Gruppenmitglieder setzen ihre Spielfiguren auf das Startfeld.
Der Erste würfelt und rückt mit seiner Figur um die gewürfelte Augenzahl auf ein Feld vor. Er zieht ein Kärtchen und liest den Satz darauf vor. Dann verneint er den Satz mit *nicht* oder *kein*. Die Gruppe kontrolliert, ob der Satz richtig verneint wurde. Wenn ja, darf seine Figur auf dem Feld stehen bleiben. Wenn er den Satz falsch verneint hat, muss er seine Figur wieder auf das Ausgangsfeld des Spielzugs zurückstellen.

Felder mit Bildern darauf sind Ereignisfelder:

Beim Feld muss der TN seine Figur um ein Feld zurücksetzen,

beim Feld muss er sie um zwei Felder zurücksetzen.

Beim Feld darf der TN seine Figur um ein Feld nach vorne setzen.

Der TN, der als Erster im Zielfeld angekommen ist, hat gewonnen.

SPIELFELD

ZIEL					
	40	39	38	37	36	35
28	29	30	31	32	33	34
27	26	25	24	23	22	21
14	15	16	17	18	19	20
13	12	11	10	9	8	7
START						
	1	2	3	4	5	6

1 Feld vor 1 Feld zurück 2 Felder zurück

Ich kenne ihn.	Er grüßt.	Sie will höflich sein.	Sie fährt Ski.	Ich mag ihn.
Sie reitet.	Sie spielt Klavier.	Ihre Frisur gefällt mir.	Das interessiert mich.	Das Buch gehört mir.
Er grüßt mich.	Wir mögen sie.	Er singt.	Ich erzähle es dir.	Wir sehen einen Film an.
Er ist freundlich.	Ihre Klamotten sind normal.	Sie ist hübsch.	Er ist sehr intelligent.	Er ist witzig.
Seine Filme sind lustig.	Ich bin neugierig.	Ihre Haare sind blond.	Meine Augen sind blau.	Das Buch war langweilig.
Ich finde ihn cool.	Er ist bekannt.	Ich finde ihn sympathisch.	Seine Jacke ist schön.	Er ist so nett und höflich.
Er ist ein Filmstar.	Er trägt einen Anzug.	Ich trage Jeans.	Er hat Geld.	Wir sind Freundinnen.
Sie ist Schauspielerin.	Ich kenne Promis.	Wir sind Nachbarn.	Wir kennen einen Film von ihm.	Er ist Sportler.
Ich trage eine Brille.	Er hat eine schöne Frisur.	Ich bin ein Promi.	Er ist Fußballspieler.	Er hat heute einen Auftritt.
Wir kennen viele Leute.	Er hat einen Beruf.	Wir haben Zeit.	Sie hat eine Idee.	Er trägt einen Mantel.

DENN SIE HAT IHR HANDY VERLOREN.

Ein Würfelspiel zu den Sätzen mit *trotzdem, deshalb, denn*

Mit diesem Spiel üben die TN, Hauptsätze mit *trotzdem*, *deshalb* oder *denn* zu verbinden. Dabei wird besonders die genaue semantische Unterscheidung dieser Konjunktionen trainiert.

Vorbereitung

Kopieren Sie die Kopiervorlage 1 für jede Gruppe einmal in DIN A3 und kleben Sie die Kopien auf dünne Pappe. Kopieren Sie die Kopiervorlagen 2, 3 und 4 für jede Gruppe einmal und kleben Sie die Kopien auf dünne Pappe. Schneiden Sie dann die Kärtchen der Kopiervorlagen 2 und 3 entlang der Linien aus und geben Sie jeden Kartensatz in einen Briefumschlag. Schneiden Sie den Bauplan für den Würfel (Kopiervorlage 4) aus, knicken Sie ihn entlang der Falze und kleben Sie dann die Würfelseiten zusammen. Sie brauchen außerdem je nach Spielerzahl pro Gruppe 3 bis 6 Spielfiguren.

Ablauf

Bilden Sie Gruppen von 3 bis 6 TN. Jede Gruppe erhält einen Spielplan, einen Würfel und eine Spielfigur pro Spieler. Alle Gruppenmitglieder setzen ihre Spielfiguren auf das Startfeld.
Die Kärtchen mit den Sätzen und die Ereigniskärtchen werden getrennt voneinander verdeckt gemischt und jeweils auf einen Stapel gelegt.
Der Erste zieht ein Kärtchen und würfelt. Er liest den Satz auf seinem Kärtchen vor und ergänzt einen zweiten, passenden Satz mit der gewürfelten Konjunktion. Die Gruppe kontrolliert, ob der Satz richtig und inhaltlich sinnvoll ist. Wenn ja, darf der TN seine Figur um ein Feld vorrücken. Wenn nein, muss seine Figur auf ihrer Position stehen bleiben. Nun ist der nächste TN an der Reihe. Die gebrauchten Kärtchen werden beiseitegelegt.
Erst wenn das letzte Kärtchen gezogen wurde, werden die Karten gemischt und erneut verwendet.
Kommt ein TN auf ein farbiges Ereignisfeld, darf er ein Ereigniskärtchen ziehen. Er liest den Text darauf vor und führt die Anweisung sofort aus. Benutzte Ereigniskarten werden wieder unter den Ereigniskarten-Stapel geschoben.
Wer als Erster das Ziel erreicht, hat gewonnen.

START	1	2	3
4	5	6	7
8	9	**10**	11
12	13	14	15
16	17	18	19
20	21	22	23
24	25	26	ZIEL

Hans schläft morgens gern lang.	Anna ist nicht gut in der Schule.	Lukas fährt gern mit dem Fahrrad.	Miriam ist sehr sympathisch.	Ich kenne Marco nicht.
Felix treibt keinen Sport.	Katharina isst zum Frühstück immer Kuchen.	Dominik hat kein Geld.	Sara liebt Katzen.	Wir haben Elias nicht getroffen.
Sebastian tanzt nicht gern.	Christiane trinkt viel Kaffee.	Oliver spricht kein Englisch.	Karin hat ihr Handy verloren.	Andreas ist sehr klein.
Mario steht immer zu spät auf.	Marie isst gern Schokolade.	Daniel ist gut in Mathe.	Sonja lernt viel.	Christian hat eine Brille.
Luis kann gut Spanisch.	Annika möchte in den Ferien arbeiten.	Martin darf keinen Wein trinken.	Paulina fotografiert gern.	Ich möchte Timo kennenlernen.
Philipp will Fußballprofi werden.	Sophie schreibt gern Geschichten.	Stefan hat einen Hund.	Diana kann gut malen.	Ich sehe Daniela jeden Tag.
Jakob kann nicht schlafen.	Verena tanzt gut.	Adrian hat Schnupfen.	Manuela will ihr Deutsch verbessern.	Wir mögen Lisa gern.
Benjamin ist ein erfolgreicher Schriftsteller.	Maria ist krank.	Fritz räumt sein Zimmer nie auf.	Hanna hat Kopfschmerzen.	Tina isst keinen Fisch.
Alexander mag keinen Salat.	Sandra reitet gern.	Johannes liebt Musik.	Andrea schreibt morgen eine Klassenarbeit.	Elisabeth ist nicht dick.
Marius nimmt seine Medikamente nicht.	Antonia kennt viele nette Leute.	Simon hat Hunger.	Melanie läuft sehr langsam.	Ich finde Julia hübsch.

1 Feld vor!	1 Feld zurück!	Dein Nachbar links geht ein Feld zurück.
1 Feld vor!	2 Felder zurück!	Dein Nachbar links geht ein Feld vor.
1 Feld vor!	Geh zurück zum nächsten freien Feld!	Dein Nachbar rechts geht ein Feld zurück.
2 Felder vor!	Du musst noch eine Aufgabe lösen! Dann darfst du hier bleiben.	Dein Nachbar rechts geht ein Feld vor.
Geh vor auf das nächste freie Feld!	Mach eine Runde Pause!	Misch die Kärtchen neu!

trotzdem

denn

deshalb

denn

trotzdem

deshalb

Ein Spiel zu den Sätzen mit *wenn* und *dass*

Vorbereitung

Kopieren Sie für jeden TN die Kopiervorlagen 1 und 2 mit den Satzanfängen. Bringen Sie einen kleinen Ball in den Unterricht mit.

Ablauf

Jeder TN erhält eine Kopie mit den Satzanfängen. Fangen Sie an und lesen Sie einen Satzanfang vor. Werfen Sie dann den Ball einem TN zu: Dieser wiederholt den Satzanfang und führt den Satz zu Ende. Danach liest dieser TN einen anderen Satzanfang vor und wirft den Ball einem anderen TN zu usw.
Die Satzanfänge, mit denen schon Sätze gebildet wurden, werden durchgestrichen. Die TN korrigieren sich gegenseitig. Greifen Sie nur in Zweifelsfällen ein.

Variante 1

Kopieren Sie die Satzanfänge auf OHP-Folie. Jeder TN wählt einen Satzanfang, wirft den Ball einem anderen TN zu. Dieser wiederholt den Satzanfang und führt den Satz zu Ende. Danach liest dieser TN einen anderen Satzanfang vor und wirft den Ball einem anderen TN zu usw. Streichen Sie die Satzanfänge, die schon benützt wurden, auf der Folie durch.

Variante 2

Sie können die Satzanfänge auch zerschneiden und an die TN verteilen (Spielablauf siehe oben).

Weißt du eigentlich, dass … ?

Ich bin glücklich, wenn … .

Ich mache ein großes Fest, wenn …

Ich bin immer sauer, wenn …

Weißt du eigentlich, dass … ?

Wenn es regnet, …

Wenn ich traurig bin, …

Wenn ich meine Hausaufgaben vergessen habe, …

Ich bin glücklich, wenn …

Wenn ich Husten habe, …

Hat Ihnen Ihr/e Deutschlehrer/in gesagt, dass … ?

Glauben Sie, dass … ?

Wenn ich viel Stress habe, …

Ich stehe gerne früh auf, wenn …

Wenn ich nervös bin, …

Wenn ich Rückenschmerzen habe, …

Denken Sie, dass … ?

Ich habe gehört, dass …

Wenn ich 80 Jahre bin, …

Ich mache eine Diät, wenn …

Mir geht es gut, wenn …

Wenn ich Heimweh habe, …

Ein Bingospiel zu den Infinitivsätzen

Vorbereitung

Kopieren Sie die Kopiervorlage 1 mit dem Spielfeld (Satzanfänge) für jeden TN und die Kopiervorlage 2 mit den Bingokärtchen (Aktivitäten) für jede Gruppe einmal. Schneiden Sie die Bingokärtchen aus und stecken Sie diese in einen Umschlag.

Ablauf

Bilden Sie Gruppen à 5 TN und geben Sie allen TN ein Spielfeld mit den Satzanfängen.
Die Gruppen wählen einen Spielleiter, der die Bingokärtchen bekommt.
Der Spielleiter zieht nacheinander Bingokärtchen und liest sie vor. Die anderen TN müssen auf ihrem Spielfeld einen Satzanfang finden, mit dem sich die genannte Aktivität zu einem Infinitivsatz mit *zu* verbinden lässt.

Beispiel:

Aktivität: *ein Praktikum machen*
Satzanfang: *Es ist wichtig, …*

Wer zuerst einen passenden Satzanfang findet, liest ihn vor und ergänzt die Aktivität als Infinitiv mit „zu". Erst, wenn der Spielleiter den Satz als passend und richtig akzeptiert, bekommt der TN das Kärtchen und legt es auf den Satzanfang in seinem Spielfeld.

Beispiellösung:

Es ist wichtig, ein Praktikum zu machen.

Wer zuerst eine diagonale, waagerechte oder senkrechte Reihe abgedeckt hat, hat gewonnen.

ein Praktikum machen

Es ist wichtig, …

KOPIERVORLAGE 1

SPIELFELD

Wir haben keine Zeit, …	Max hat angefangen, …	Unsere Aufgabe ist es, …	Es ist wichtig, …
Die TN haben aufgehört, …	Ich habe vergessen, …	Es macht keinen Spaß, …	Ich finde es gut, …
Wir haben Lust, …	Es ist interessant, …	Marion hat Angst, …	Wir haben versucht, …
Ich habe gehofft, …	Es ist überhaupt nicht wichtig, …	Ich finde es langweilig, …	Die TN können sich vorstellen, …

BINGOKÄRTCHEN

einen Wandertag haben	in den Ferien arbeiten	ein Praktikum machen	ins Kino gehen
Vokabeln lernen	einen Bericht schreiben	den Tisch decken	Zeitung lesen
Batterien nicht wegwerfen	etwas falsch machen	viel Geld verdienen	auf dem Land wohnen
mit dem Fahrrad fahren	das Zimmer aufräumen	die Zähne regelmäßig putzen	mit dem Computer arbeiten
alten Menschen helfen	in der Stadt leben	Karteikarten ordnen	Computerspiele machen
einen guten Schulabschluss haben	Kleidung einkaufen	neue Methoden ausprobieren	alles richtig machen